La Reine des eaux

KAI MEYER

L'Histoire de Merle

Tome 1

La Reine des eaux

Traduit de l'allemand par Françoise Périgaut

Jeunesse

Titre original : *Die Fließende Königin.*

Première édition : Loewe Verlag GmbH, 2001.

Cette édition a été publiée par l'intermédiaire de l'agence Editio Dialog (www.editio-dialog.com).

ISBN 2 268 05397 0

Chapitre 1

Les sirènes

La gondole des deux adolescentes déboucha de l'un des canaux latéraux et attendit que les bateaux de course se soient éloignés sur le Grand Canal. Plusieurs minutes encore après leur passage, il régnait sur le canal une telle effervescence de barques et de bateaux à vapeur que le gondolier préféra patienter quelques instants.

– On repart tout de suite, lança-t-il aux deux adolescentes en empoignant sa rame. Vous n'êtes pas pressées, n'est-ce pas ?

– Non, répondit Merle, la plus âgée des deux.

En réalité, elle n'avait jamais été aussi excitée de sa vie.

Depuis des jours, tout Venise ne parlait plus que de la régate sur le Grand Canal. Selon les organisateurs, c'était la plus grande course de bateaux qui ait jamais eu lieu avec des attelages de sirènes.

Des « queues de poisson », comme disaient certains dédaigneusement. Ce n'était qu'une des nombreuses insultes dont on les affublait, surtout depuis que certains les avaient accusées de pactiser avec les Égyptiens. Mais personne ne croyait sérieusement à ces sornettes après les massacres de sirènes auxquels s'étaient livrées les armées du pharaon en Méditerranée.

Dix bateaux avaient pris le départ de la régate du jour, à l'extrémité sud du Grand Canal, à hauteur de la Casa Stecchini. Chaque embarcation était tirée par dix sirènes.

Dix sirènes ! C'était un record, du jamais vu. La Serenissima – c'est ainsi que les Vénitiens surnommaient affectueusement leur ville – n'avait jamais connu pareil événement.

Les sirènes étaient attelées en éventail devant les bateaux et attachées par de longues cordes, suffisamment solides pour résister à leurs dents pointues. Les gens s'étaient rassemblés de part et d'autre du canal, aux endroits où les quais étaient accessibles à pied, ainsi qu'aux balcons et fenêtres des palais – personne ne voulait manquer ce spectacle.

Mais ce n'était pas la régate qui plongeait Merle dans un tel état de nervosité. Elle avait une tout autre raison d'être excitée. Bien plus importante à ses yeux.

Le gondolier attendit encore deux, trois minutes avant d'engager la mince gondole noire dans le Grand Canal pour se diriger vers l'embouchure située juste en face. Ils faillirent être accrochés par de jeunes fanfarons qui tentaient de rattraper les participants à la régate avec leur propre attelage de sirènes en vociférant.

Merle lissa ses longs cheveux sombres en arrière. Le vent ramenait sans cesse des mèches dans ses yeux. Elle avait quatorze ans et n'était ni grande ni petite. Juste un peu maigre, comme presque tous les enfants de l'orphelinat – à l'exception du gros Ruggero, bien sûr. Mais lui, ce n'était pas pareil, il était malade. C'est en tout cas ce que disaient les surveillants. Merle se demandait toutefois si c'était vraiment être malade que se glisser la nuit dans la cuisine pour y dévorer le dessert des autres pensionnaires.

Merle soupira. La vue des sirènes en captivité l'attristait. Elles avaient un buste de femme avec une peau incroyablement claire et lisse. Lors de la prière du soir, plus d'une Vénitienne devait implorer le ciel de lui donner une aussi belle peau. Les sirènes avaient de longs cheveux et les couper aurait été un crime à leurs yeux – même leurs maîtres humains respectaient ce souhait.

La première chose qui les distinguait des autres femmes, c'était leur queue de poisson qui mesurait généralement au moins deux mètres. Cette queue se formait au niveau des hanches et était aussi rapide qu'un fouet, aussi puissante qu'un fauve et aussi brillante que les joyaux des salles du trésor du Conseil.

La deuxième grande différence, et la plus effrayante pour les humains, c'était cette gueule immonde qui leur fendait le visage comme une plaie béante. Si le reste de leurs traits était humain et même superbe – d'innombrables poèmes avaient été composés sur leurs yeux et plus d'un jeune homme avait plongé pour elles dans les flots funestes –, beaucoup de gens étaient convaincus, à cause de leur bouche, qu'elles étaient des animaux et n'avaient rien à voir avec des êtres humains. Leur gueule allait d'une oreille à l'autre et, quand elles l'ouvraient, on aurait dit que leur crâne se divisait en deux. Leur mâchoire était garnie de plusieurs rangées de dents acérées, fines et pointues comme des poinçons d'ivoire. Ceux qui disent qu'il n'y a rien de pire qu'une gueule de requin n'ont jamais vu de sirène.

Au fond, on savait peu de chose d'elles. Un fait était sûr, elles fuyaient les humains. Aux yeux de nombreux habitants de la ville, c'était une raison suffisante pour les chasser. Les jeunes gens prenaient un malin plaisir à acculer dans les ruelles les jeunes sirènes inexpérimentées qui s'étaient perdues dans le labyrinthe des canaux vénitiens ; quand l'une mourait, on jugeait cela regrettable, certes, mais personne ne faisait le moindre reproche aux responsables.

La plupart du temps, toutefois, on les capturait et on les enfermait dans les bassins de l'Arsenal jusqu'à ce que quelqu'un trouve une bonne raison de les nourrir : généralement en prévision d'une course de bateaux, parfois, mais plus rarement, pour faire de la soupe de poisson. Le goût de leur longue queue couverte d'écailles était légendaire. Il surclassait des mets aussi fins que la femme-poisson et le Léviathan.

– Elles me font pitié, dit la deuxième adolescente assise à côté de Merle dans la gondole.

Elle était tout aussi maigre et même décharnée. Ses cheveux très blonds, presque blancs, lui tombaient dans le dos. Merle ne savait rien de sa compagne, si ce n'est qu'elle venait aussi d'un orphelinat situé dans un autre quartier de Venise. Elle avait un an de moins que Merle – « treize ans », avait-elle dit – et s'appelait Junipa.

Junipa était aveugle.

– Les sirènes te font pitié ? demanda Merle.

La jeune aveugle acquiesça.

– Je les ai entendues.

– Mais elles ne disent rien.

– Si, sous l'eau, répliqua Junipa. Elles chantent tout le temps. J'ai de bonnes oreilles, tu sais. Comme beaucoup d'aveugles.

Merle la dévisagea d'un air stupéfait, mais elle se dit aussitôt que c'était impoli, même si Junipa ne pouvait pas la voir.

– C'est vrai, finit par dire Merle, elles me font pitié à moi aussi. Elles ont l'air… comment dire ? … mélancoliques. Comme si elles avaient perdu une chose à laquelle elles tenaient beaucoup.

– La liberté ? suggéra le gondolier qui les écoutait.

– Quelque chose de plus important encore, rétorqua Merle.

Les mots lui manquaient pour exprimer ce qu'elle voulait dire.

– Peut-être la faculté d'être heureuses.

Ce n'était pas encore vraiment ce qu'elle voulait dire, mais cela s'en rapprochait.

Merle était convaincue que les sirènes étaient aussi humaines qu'elle. Elles étaient plus intelligentes que bien des personnes qu'elle avait pu rencontrer à l'orphelinat et éprouvaient des sentiments. Elles étaient différentes, bien sûr, mais cela ne donnait à personne le droit de les élever comme des animaux, de les atteler à des bateaux ou de les chasser par jeu à travers la lagune.

Le comportement des Vénitiens à leur égard était cruel et totalement inhumain. Exactement ce qu'ils reprochaient aux sirènes.

Merle soupira et baissa les yeux sur l'eau. La gondole fendait les flots couleur émeraude comme une lame de couteau. L'eau était immobile dans les étroits canaux latéraux. Seul le Grand Canal était parfois agité de vagues un peu plus fortes. Mais ici, à trois ou quatre groupes de maisons de l'artère principale de Venise, tout était parfaitement calme.

La gondole glissait sans un bruit sous les ponts. Certains étaient ornés de sculptures en pierre grimaçantes ; des touffes de mauvaises herbes leur poussaient sur la tête, tels des toupets de couleur verte.

Des deux côtés du canal, les façades tombaient à pic dans l'eau. Toutes les maisons faisaient au moins quatre étages. À l'époque où Venise était encore une grande puissance commerciale, quelques siècles plus tôt, les marchandises étaient directement déchargées des bateaux dans les palais des riches familles de négociants. Mais désormais, beaucoup d'anciennes demeures étaient vides, la plupart des fenêtres étaient condamnées et les porches en bois qui se trouvaient à hauteur de l'eau étaient pourris et rongés par l'humidité. Cela ne datait pas seulement du siège de la ville par l'armée égyptienne. Le pharaon ressuscité et ses commandants sphinx n'étaient pas responsables de tous les maux qui s'étaient abattus sur la ville.

– Des lions ! s'exclama tout à coup Junipa.

Merle regarda la rive jusqu'au prochain pont. Elle ne vit pas âme qui vive et encore moins de lions en pierre de la garde municipale.

– Où donc ? Je ne vois rien.

– Je les sens, répondit Junipa avec insistance.

Elle huma l'air sans un bruit et Merle vit du coin de l'œil le gondolier secouer la tête derrière elles d'un air abasourdi.

Merle essaya d'imiter Junipa, mais ne sentit rien. Enfin, alors que le bateau avait avancé d'une cinquantaine de mètres, une odeur lui effleura les narines. L'odeur de la pierre humide, un peu moisie. L'odeur était si forte qu'elle parvenait même à couvrir les effluves de la ville s'enfonçant peu à peu dans la mer.

– Tu as raison.

C'était sans aucun doute l'odeur des lions de pierre qui servaient de montures aux gardes de la ville de Venise et les aidaient au combat.

Au même moment, l'un des puissants animaux traversa le pont juste devant elles. C'était un lion en granit, une des races les plus répandues parmi les lions de pierre de la lagune. Il en existait d'autres, plus forts encore. Mais cela importait peu : quiconque tombait entre les pattes d'un lion de pierre n'avait aucun espoir d'en réchapper. Les lions étaient depuis toujours l'emblème de la ville. Autrefois, ils avaient tous des ailes et pouvaient se déplacer dans les airs ; aujourd'hui, il ne restait plus que quelques lions volants. Leur nombre était strictement réglementé et ils servaient de garde rapprochée aux conseillers municipaux. Les éleveurs de l'île aux Lions, au nord de la lagune, avaient fait en sorte que les autres fauves ne puissent plus voler. Ils naissaient avec des ailes atrophiées qui leur retombaient tristement sur le dos. Les soldats de la garde municipale s'en servaient pour attacher leur selle.

Le lion de granit qui se trouvait sur le pont faisait partie de la race commune. Il était chevauché par un homme portant l'uniforme coloré de la garde. Son arme, accrochée à une courroie en cuir, se balançait à son épaule, et il la portait avec une négligence et une arrogance toutes militaires. Les soldats avaient été incapables de défendre la ville face aux Égyptiens – tout le mérite en revenait à la Reine des eaux –, mais depuis que l'état de siège avait été proclamé, il y avait maintenant plus de trente ans de cela, la garde n'avait cessé de gagner en puissance. Son outrecuidance n'était dépassée que par celle de ses donneurs d'ordre, les conseillers municipaux qui administraient et maltraitaient la ville meurtrie comme bon leur semblait. Les conseillers et leurs soldats essayaient peut-être de se prouver ainsi quelque chose à eux-mêmes – dans le fond, tout le monde savait qu'ils étaient incapables de défendre la ville. Mais tant que la Reine des eaux maintenait l'ennemi loin de la lagune, ils pouvaient s'encenser mutuellement et s'enorgueillir de leur toute-puissance.

Le garde regarda la gondole du haut du pont en souriant, fit un clin d'œil à Merle et éperonna le lion. L'animal secoua la tête et rua avant de recommencer à avancer. Merle entendit ses griffes en pierre racler le pavé. Junipa se boucha les oreilles. Le pont trembla sous les pattes épaisses du fauve ; on aurait dit que l'écho rebondissait comme une balle magique entre les hautes façades. Même la surface de l'eau s'agita un peu. La gondole tangua légèrement.

Le gondolier attendit que le soldat ait disparu dans le dédale de ruelles, cracha dans l'eau et murmura :

– Que l'Ancien Traître t'emporte !

Merle se tourna vers lui, mais l'homme ne faisait pas attention à elle et avait les yeux rivés sur le canal. La gondole se remit à glisser lentement à la surface de l'eau.

– Tu sais si c'est encore loin ? demanda Junipa à Merle.

Le gondolier la devança :

– Nous sommes presque arrivés. C'est la maison là-bas, après le croisement.

Il se rendit compte aussitôt que cette indication n'avait guère renseigné la jeune aveugle et s'empressa donc d'ajouter :

– Encore quelques minutes, et nous serons arrivés au canal des Bannis.

Merle fut frappée avant tout par l'obscurité et l'étroitesse du lieu.

Le canal des Bannis était flanqué de hautes maisons plus sombres les unes que les autres et presque toutes à l'abandon. Les fenêtres bâillaient comme des trous noirs dans les façades grises, beaucoup de vitres étaient cassées et les volets en bois étaient accrochés de travers dans leurs gonds, comme les ailes pendantes de cadavres d'oiseaux. Des crachements de chats s'échappaient par une porte défoncée ; cela n'avait rien d'inhabituel dans une ville qui comptait des dizaines de milliers de chats errants. Les pigeons roucoulaient sur les rebords des fenêtres, et les étroits passages sans parapet qui bordaient le canal étaient couverts de mousse et de fientes d'oiseaux.

Seules deux maisons habitées se détachaient de cet alignement de ruines. Elles étaient situées l'une en face de l'autre et se dévisageaient par-dessus le canal comme deux joueurs d'échecs, le visage tendu et le front plissé. Une centaine de mètres les séparait de l'embouchure du canal et de l'extrémité de l'impasse plongée dans l'ombre. Les deux maisons possédaient un balcon ; celui de gauche était en pierre et celui de droite en métal incurvé. Les balustrades se touchaient presque au-dessus de l'eau.

Le canal faisait trois pas de large. L'eau, d'un vert éclatant quelques mètres plus tôt, était sombre et semblait soudain plus profonde. Les vieilles demeures étaient si rapprochées que la lumière du jour venait à peine frapper la surface de l'eau. Des plumes d'oiseaux flottaient paresseusement sur les vagues dans le sillage de la gondole.

Merle avait un vague pressentiment de ce qui les attendait. Le personnel de l'orphelinat le lui avait expliqué, en répétant sans cesse comme elle devait s'estimer heureuse d'être envoyée là-bas pour suivre son apprentissage. C'était ici, dans ce canal, dans cet étroit couloir baigné d'une lumière verdâtre, qu'elle allait passer les prochaines années de sa vie.

La gondole s'approcha des deux maisons habitées. Merle tendit l'oreille, mais elle n'entendit que des murmures étouffés. Lorsqu'elle se tourna vers Junipa, elle vit que chaque muscle du corps de l'aveugle était tendu ; elle avait les yeux clos et ses lèvres formaient des mots muets. Peut-être comprenait-elle, grâce à son ouïe exercée, ce qui n'était pour Merle que des bruissements lointains – comme un tapissier capable de repêcher avec son aiguille un seul fil parmi des milliers d'autres. Junipa était vraiment une personne hors du commun.

La maison de gauche abritait l'atelier de tissage du célèbre Umberto. Il était considéré comme impie de porter des vêtements fabriqués par lui et ses élèves : il avait trop mauvaise réputation depuis son esclandre avec l'Église. Mais les dames venaient secrètement chez lui pour se faire confectionner des corsets ou des robes et ne juraient que par leur pouvoir magique. « Les habits d'Umberto amincissent », racontait-on dans les salons et les ruelles de Venise. C'était vrai. Les personnes qui portaient ces vêtements ne paraissaient pas seulement plus minces : les fils magiques tissés par le maître faisaient réellement fondre la graisse. Les prêtres de la ville avaient dénoncé les agissements peu catholiques du tisserand avec tant de virulence et de haine que la guilde des artisans avait fini par exclure Umberto de ses rangs.

Umberto n'était pas le seul à s'être attiré les foudres de la guilde. Son voisin avait fait la même expérience. L'atelier d'en face était lui aussi consacré à sa façon aux belles choses. Mais on n'y tissait pas de vêtements. Son maître, le vénérable Arcimboldo, aurait d'ailleurs protesté énergiquement si quiconque avait osé faire le rapprochement entre lui et Umberto, son ennemi de toujours.

Sur le fronton de la porte, on pouvait lire en lettres dorées cette inscription : LE VERRE DIVIN D'ARCIMBOLDO. Une enseigne était accrochée juste en dessous :

Miroirs magiques
Pour belles-mères gentilles et méchantes,
Pour sorcières belles et laides
Et pour toute autre noble intention.

– Nous sommes arrivés, dit Merle à Junipa en relisant les mots qui ornaient la porte. Voilà l'atelier aux miroirs magiques d'Arcimboldo.

– De quoi a-t-il l'air ? demanda Junipa.

Merle hésita. Elle avait du mal à décrire sa première impression. La maison était sombre comme le reste du canal, mais un bac de fleurs près de la porte déposait une touche avenante dans la pénombre. Merle mit quelque temps à s'apercevoir que les fleurs étaient en verre.

– C'est mieux que l'orphelinat, dit-elle d'une voix un peu hésitante.

Les marches pour accéder au quai étaient glissantes. Le gondolier aida les deux adolescentes à descendre de bateau. Il avait déjà touché son argent en venant les chercher à l'orphelinat. Il leur souhaita bonne chance, avant de s'éloigner lentement dans sa gondole.

Un peu perdues, leur baluchon à moitié vide à la main, elles restèrent plantées un moment sous l'enseigne qui vantait les vertus magiques du fameux miroir pour méchantes belles-mères. Merle se demandait s'il fallait y voir un signe positif ou négatif pour le début de son apprentissage. La vérité se situait sans doute entre les deux.

Un visage apparut derrière une fenêtre de l'atelier de tissage sur l'autre rive, puis un second. « Sans doute des apprentis curieux de voir les nouvelles », se dit Merle. Des *ennemis*, à en croire les rumeurs.

Arcimboldo et Umberto ne s'étaient jamais appréciés, ce n'était pas un secret, et leur exclusion simultanée de la guilde n'avait pas arrangé les choses. Chacun en rejetait la faute sur l'autre. « Pourquoi me renvoyez-vous, moi, et pas ce fou de miroitier ? » aurait demandé Umberto, à en croire Arcimboldo, tandis que le tisserand affirmait de son côté qu'Arcimboldo s'était exclamé, en apprenant sa disgrâce : « Je m'en vais, mais vous feriez bien de vous occuper aussi de cet apiéceur. » Personne ne savait vraiment qui disait la vérité. Une chose était sûre, tous deux avaient été exclus de la guilde pour usage interdit de la magie.

« Un magicien », pensa Merle avec émoi. Cette idée l'obsédait depuis des jours. *Arcimboldo était un vrai magicien !*

La porte de l'atelier de miroiterie s'ouvrit en grinçant et une drôle de femme apparut sur le quai. Ses longs cheveux étaient noués en chignon. Elle était vêtue d'un pantalon de cuir qui soulignait la minceur de ses jambes et elle portait par-dessus une chemise ample tissée de fils d'argent. Merle se serait davantage attendue à trouver un linge d'une telle finesse de l'autre côté du canal, dans l'atelier du tisserand, que dans la maison d'Arcimboldo.

Mais le plus étrange, c'était le masque qui dissimulait une partie de son visage. La dernière édition du carnaval de Venise, autrefois réputé dans le monde entier, remontait à près de quatre décennies, plus précisément à 1854, trois ans après la renaissance du pharaon Aménophis dans la pyramide à degrés d'Amoun-Ka-Re. Depuis que la ville était en état de siège et que régnaient la guerre et la famine, plus personne ne songeait à se déguiser.

Pourtant, c'était bien un masque de carnaval en papier verni finement décoré que portait la femme. Sans aucun doute le travail d'un artiste vénitien. Le masque lui couvrait le bas du visage jusqu'à l'arête du nez. Il était blanc comme la neige et brillant comme la porcelaine. L'artisan qui avait confectionné le masque avait dessiné une bouche rouge sombre aux lèvres délicatement ourlées.

– Unke, fit la femme, en ajoutant aussitôt avec un imperceptible zozotement. C'est mon nom.

– Merle. Et voici Junipa. Nous sommes les nouvelles apprenties.

– Évidemment, qui voulez-vous que ce soit ?

Seuls ses yeux révélaient qu'elle souriait. Merle se demanda si elle était défigurée par une maladie.

Unke fit entrer les deux adolescentes. La porte donnait sur un vaste hall d'entrée, comme dans la plupart des maisons de la ville. Il était sommairement meublé ; les murs étaient crépis et non tapissés en raison des inondations qui se produisaient parfois l'hiver. Les Vénitiens vivaient au premier et au deuxième étage des maisons. Les rez-de-chaussée étaient toujours des endroits austères et aménagés de façon rudimentaire.

– Il est tard, dit Unke comme si elle venait de voir l'heure.

Merle ne voyait pourtant aucune horloge dans la pièce.

– À cette heure-ci, Arcimboldo et les grands sont à l'atelier, il ne faut pas les déranger. Vous ferez leur connaissance demain. Je vais vous montrer votre chambre.

Merle ne put réprimer un sourire. Elle avait espéré qu'elle serait dans la même chambre que Junipa. Elle constata que sa compagne aveugle se réjouissait elle aussi.

La femme masquée les emmena en haut d'un escalier en colimaçon.

– Je suis la gouvernante de l'atelier. C'est moi qui fais la cuisine et qui lave vos affaires. Vous allez sans doute devoir m'aider au cours des premiers mois, le maître demande souvent que les nouveaux le fassent – et puis vous êtes les seules filles de la maison.

Les seules filles ? Merle n'avait pas songé un instant que les autres apprentis puissent tous être des garçons. Elle était d'autant plus soulagée que Junipa soit avec elle pour commencer son apprentissage.

La jeune aveugle n'était pas très bavarde. Merle supposait que sa vie n'avait pas été toujours rose à l'orphelinat. Elle n'avait eu que trop souvent l'occasion de constater combien les enfants pouvaient être cruels, surtout à l'égard de ceux qu'ils jugeaient plus faibles qu'eux. Ils avaient certainement profité plus d'une fois du handicap de Junipa pour lui jouer des tours.

Les adolescentes suivirent Unke au bout d'un long couloir. Les murs étaient couverts de miroirs. La plupart étaient orientés de manière à se refléter les uns dans les autres. Merle se demanda s'il s'agissait des fameux miroirs d'Arcimboldo – elle ne leur voyait rien de magique.

Unke leur donna toute sorte d'instructions concernant les heures des repas, des sorties et le règlement à observer à l'intérieur de la maison. Lorsqu'elle eut fini, Merle demanda :

– Qui achète les miroirs magiques d'Arcimboldo ?

– Tu es bien curieuse, dit Unke d'un ton désapprobateur.

– Des gens riches ? insista Junipa en passant la main dans ses cheveux lisses, l'air perdu dans ses pensées.

– Peut-être, répliqua Unke. Qui sait ? ajouta-t-elle pour mettre un terme à la conversation.

Les adolescentes n'insistèrent pas. Elles auraient bien le temps de découvrir tous les secrets de l'atelier et de sa mystérieuse clientèle. Les belles-mères gentilles et méchantes, se répétait Merle en pensée. Les sorcières belles et affreuses. Tout cela était très excitant.

La chambre que leur avait attribuée Unke n'était pas grande. Elle sentait le renfermé mais elle était claire, car située au troisième étage de la maison. Pour voir la lumière du jour à Venise, sans même parler du soleil, il fallait au moins habiter au deuxième étage. La fenêtre de leur chambre donnait directement sur une mer de bardeaux rougeâtres. La nuit, elle pourrait contempler le ciel étoilé et, dans la journée, elle verrait le soleil – à condition que son travail lui en laisse le loisir.

La pièce se trouvait à l'arrière de l'atelier. En regardant par la fenêtre, Merle aperçut tout en bas une petite cour avec une citerne ronde. Les maisons d'en face semblaient vides. Au début de la guerre contre l'empire pharaonique, de nombreux Vénitiens avaient quitté la ville et s'étaient réfugiés sur le continent – une erreur fatale, comme l'avaient montré les événements ultérieurs.

Avant de s'en aller, Unke indiqua aux deux adolescentes qu'elle leur apporterait à manger dans une heure. Ensuite, elles feraient bien de se coucher afin d'être en forme pour leur première journée de travail.

Junipa palpa le montant du lit et se laissa doucement tomber sur le matelas. Elle lissa prudemment les draps des deux mains.

– Tu as vu la couverture ? Comme elle est moelleuse !

Merle s'assit à côté d'elle.

– Elle doit coûter cher, affirma-t-elle d'un ton raisonnable.

À l'orphelinat, les couvertures étaient minces, râpeuses et pleines de bestioles qui vous mordaient la peau la nuit.

– On dirait que nous avons eu de la chance, dit Junipa.

– Attends, nous n'avons pas encore vu Arcimboldo.

Junipa haussa un sourcil.

– Quelqu'un qui décide de prendre chez soi une aveugle orpheline pour lui apprendre un métier ne peut pas être fondamentalement mauvais.

Mais Merle restait suspicieuse.

– Arcimboldo est connu pour ne prendre que des orphelins comme apprentis. Quels parents enverraient leurs enfants dans un endroit pareil ?

– Mais je suis aveugle, Merle ! Toute ma vie, j'ai été un boulet pour les autres.

– C'est à l'orphelinat qu'ils t'ont mis des idées pareilles dans la tête ?

Merle scruta Junipa du regard. Puis elle s'empara de la main blanche de l'adolescente.

– En tout cas, moi, je suis contente que tu sois là.

Junipa sourit d'un air gêné.

– Mes parents m'ont abandonnée quand j'avais un an. Ils avaient glissé une lettre dans ma robe. Dedans, il était écrit qu'ils ne voulaient pas élever une infirme.

– C'est atroce.

– Et toi, pourquoi étais-tu à l'orphelinat ?

Merle soupira.

– Un surveillant de l'orphelinat a raconté que l'on m'avait trouvée dans une corbeille qui flottait sur le Grand Canal.

Elle haussa les épaules.

– On dirait un conte, tu ne trouves pas ?

– Un conte triste.

– Je n'avais que quelques jours.

– Qui peut bien jeter son enfant dans un canal ?

– Et qui peut bien abandonner son enfant parce qu'il est aveugle ?

Elles se sourirent. Même si les globes oculaires blancs de Junipa semblaient glisser sur les objets et les gens, son regard n'était pas vide. Junipa paraissait percevoir avec le toucher et l'ouïe davantage de choses que beaucoup de gens.

– Tes parents ne voulaient pas que tu te noies, constata Junipa. Sinon, ils n'auraient pas pris la peine de te déposer dans une corbeille.

Merle baissa les yeux et fixa le sol.

– Ils avaient mis quelque chose dans la corbeille. Tu veux…

Elle s'interrompit brutalement.

– Le voir ? compléta Junipa avec un sourire.

– Excuse-moi.

– Tu n'as pas à t'excuser. Je pourrai le toucher. Tu l'as ici ?

– Je ne le quitte jamais. Une fois, une fille de l'orphelinat a essayé de le voler. Je lui ai presque arraché les cheveux.

Elle eut un petit rire gêné.

– J'avais à peine huit ans, à l'époque.

Junipa rit aussi :

– Je crois que je ferais bien de m'attacher les cheveux, la nuit.

Merle posa délicatement la main sur les cheveux de Junipa. Ils étaient épais et blonds comme ceux d'une reine des neiges.

– Alors ? demanda Junipa. Qu'y avait-il dans la corbeille ?

Merle se leva, ouvrit son baluchon et en tira le précieux objet – la seule chose qu'elle possédait en dehors de la robe toute simple et rapiécée qu'elle avait apportée pour se changer.

C'était un miroir à main, à peu près de la taille de son visage, ovale, avec un manche court. Le cadre était fabriqué dans un alliage foncé que certains envieux, à l'orphelinat, avaient pris pour de l'or. En réalité, ce n'était ni de l'or ni aucun métal connu. Il était dur comme le diamant.

Mais ce qu'il y avait de plus étrange, c'était la surface du miroir en lui-même. Elle n'était pas faite de verre, mais d'eau. On pouvait y plonger la main et faire de petites vagues ; mais on avait beau retourner le miroir dans tous les sens, jamais il n'en tombait une goutte.

Merle mit le manche dans la main ouverte de Junipa et les doigts de la jeune aveugle se refermèrent dessus. Au lieu de palper le miroir, elle le porta aussitôt à son oreille.

– Il murmure, dit-elle à voix basse.

Merle était très étonnée.

– Il murmure ? Je n'ai jamais rien entendu.

– C'est parce que tu n'es pas aveugle.

Une petite ride verticale se creusa sur le front de Junipa tandis qu'elle essayait de se concentrer.

– Ils sont plusieurs. Je ne comprends pas ce qu'ils disent, il y a trop de voix et ils sont trop loin. Mais ils disent quelque chose.

Junipa abaissa le miroir et passa la main gauche sur le cadre ovale.

– C'est un portrait ? demanda-t-elle.

– Un miroir, répondit Merle. Mais n'aie pas peur, il est en eau.

Junipa ne parut aucunement surprise, comme si c'était la chose la plus naturelle du monde. C'est seulement en effleurant du bout du doigt la surface de l'eau qu'elle tressaillit.

– C'est froid, constata-t-elle.

Merle secoua la tête.

– Non, pas du tout. L'eau à l'intérieur du miroir est toujours chaude. On peut y plonger des objets, mais quand on les ressort, ils sont toujours secs.

Junipa toucha à nouveau la surface de l'eau.

– Je la trouve glaciale.

Merle lui prit le miroir des mains et y plongea l'index et le majeur.

– Elle est chaude, dit-elle à nouveau d'un ton de défiance. Elle n'a jamais été froide, autant que je me souvienne.

– Est-ce que quelqu'un l'a déjà touchée ? À part toi, bien sûr.

– Non, personne. Une fois, j'ai voulu qu'une sœur venue nous rendre visite à l'orphelinat y plonge la main, mais elle avait terriblement peur et elle a dit que c'était l'œuvre du diable.

Junipa réfléchit.

– Peut-être que l'eau paraît froide à tout le monde, sauf à celui qui possède le miroir.

Merle plissa le front.

– C'est possible.

Elle regarda la surface frissonnante et son reflet déformé.

– Tu as l'intention de le montrer à Arcimboldo ? demanda Junipa. Il s'y connaît en miroirs magiques.

– Je ne pense pas. Pas tout de suite, en tout cas. Plus tard, peut-être.

– Tu as peur qu'il te le prenne.

– Tu n'aurais pas peur à ma place ? C'est la seule chose qui me reste de mes parents, dit Merle avec un soupir.

– Toi aussi, tu es une partie de tes parents, ne l'oublie pas.

Merle se tut un instant. Elle se demandait si elle pouvait faire confiance à Junipa et lui dire toute la vérité. Elle lança un regard furtif en direction de la porte et chuchota :

– Mais il n'y a pas que l'eau.

– Que veux-tu dire ?

– Je peux tendre le bras à travers le miroir sans jamais toucher le fond.

Le dessous du miroir était fabriqué dans le même métal que le cadre.

– Tu es en train de le faire, là ? demanda Junipa, stupéfaite.

– Je peux, si tu veux.

Merle enfonça les doigts à l'intérieur du miroir d'eau, puis la main et enfin le bras tout entier. On aurait dit qu'il avait complètement disparu de ce monde.

Junipa tendit la main et tâta le bras de Merle, depuis l'épaule jusqu'au cadre du miroir.

– Quel effet ça fait ?

– C'est très chaud, expliqua Merle. Une chaleur agréable, pas brûlante.

Elle baissa la voix :

– Et parfois, je sens encore autre chose.

– Quoi donc ?

– Une main.

– Une… main ?

– Oui. Elle saisit la mienne, très doucement, et elle la tient.

– Elle te retient ?

– Non, elle ne me *retient* pas. Elle me tient juste la main… Comme le font des amies. Ou…

– Ou des parents ?

Junipa était visiblement captivée.

– Tu crois que ton père ou ta mère te tient la main à l'intérieur du miroir ?

Cela mettait Merle mal à l'aise de parler de tout ça. Mais elle sentait qu'elle pouvait faire confiance à Junipa. Après une brève hésitation, elle surmonta sa crainte.

– Ce serait possible, non ? Ce sont eux qui ont placé le miroir dans ma corbeille. Peut-être l'ont-ils fait pour rester en contact avec moi d'une manière ou d'une autre, pour que je sache qu'ils sont encore là... quelque part.

Junipa hocha la tête lentement, mais elle ne paraissait pas totalement convaincue. Elle avait plutôt un air compréhensif. D'une voix un peu triste, elle déclara :

– J'ai longtemps cru que mon père était gondolier. Je sais que les gondoliers sont les plus beaux hommes de Venise... tout le monde le dit... même si je ne peux pas les voir.

– Ils ne sont pas *tous* beaux, objecta Merle.

Junipa poursuivit, l'air rêveur :

– Et je me disais que ma mère était une porteuse d'eau du continent.

Les porteuses d'eau, qui vendaient dans les rues de l'eau potable contenue dans de grandes cruches, avaient la réputation d'être les femmes les plus séduisantes à des lieues à la ronde. La rumeur leur prêtait les mêmes qualités qu'aux gondoliers.

Junipa continua son récit :

– J'imaginais que mes parents étaient deux êtres superbes, comme si cela voulait dire quelque chose à mon sujet. Sur mon vrai moi. J'ai même essayé de leur pardonner : « Deux êtres aussi parfaits, me suis-je dit, ne peuvent pas se montrer en public avec une enfant malade. »

Je me suis mis dans la tête qu'ils étaient dans leur bon droit en m'abandonnant.

Elle secoua soudain la tête, si énergiquement que ses cheveux d'un blond presque blanc voletèrent autour d'elle.

– Aujourd'hui, je sais que ce ne sont que des sornettes. Peut-être mes parents étaient-ils beaux, peut-être étaient-ils laids. Peut-être sont-ils morts à l'heure qu'il est. Mais cela n'a rien à voir avec moi, comprends-tu ? Je suis là, c'est la seule chose qui compte. Et mes parents ont mal agi en abandonnant dans la rue une enfant sans défense.

Merle avait écouté avec émotion. Elle comprenait ce que voulait dire Junipa, même si elle ne savait pas ce que cela avait à voir avec elle et avec la main qui se trouvait dans le miroir.

– Ne te fais pas d'illusions, Merle, dit la jeune aveugle d'un ton beaucoup plus sage qu'il n'était de mise à son âge. Tes parents ne voulaient pas de toi. C'est pour ça qu'ils t'ont déposée dans cette corbeille. Et si quelqu'un te tend la main dans le miroir, ce n'est pas forcément ta mère ou ton père. Ce que tu sens est magique, Merle. Il faut faire attention aux choses magiques.

Un instant, Merle sentit la colère monter en elle. Les propos de Junipa la blessaient. La jeune aveugle n'avait pas le droit de dire des choses pareilles, de lui ôter ses espoirs, tous les rêves que lui évoquait cette main tenant la sienne dans le miroir. Et pourtant, elle comprenait que Junipa se montrait tout simplement honnête et que l'honnêteté est le plus beau cadeau que l'on puisse faire à l'autre, au début d'une amitié.

Merle glissa le miroir sous son oreiller. Elle savait qu'il ne se briserait pas et que le tissu pouvait toucher la surface de l'eau sans se mouiller. Elle revint ensuite s'asseoir à côté de Junipa et posa le bras sur ses épaules. La jeune aveugle fit de même et elles restèrent un moment ainsi, comme deux sœurs, deux êtres qui n'ont pas de secrets l'un pour l'autre. Merle pensa un instant que ce sentiment de proximité et de communion était encore plus fort que l'impression de chaleur, de calme et de force que lui procurait la main du miroir.

Lorsque les deux adolescentes mirent fin à leur étreinte, Merle dit :

– Tu pourras essayer, si tu veux.

– Le miroir ?

Junipa secoua la tête.

– Il est à toi. S'il voulait que j'y mette la main, l'eau me paraîtrait chaude à moi aussi.

Merle sentait que Junipa avait raison. Qu'elle appartienne à ses parents ou à qui que ce soit d'autre, cette main n'acceptait que Merle. Il serait même peut-être dangereux qu'une autre personne pénètre de la sorte dans le monde situé derrière le miroir.

Les adolescentes étaient encore assises sur le lit lorsque la porte s'ouvrit. Unke entra dans la pièce. Elle leur apportait leur dîner sur un plateau en bois. Un bouillon épais aux légumes et au basilic avec du pain blanc et une cruche d'eau puisée dans la citerne de la cour.

– Mettez-vous au lit après avoir déballé vos affaires, dit Unke avec un léger zézaiement avant de quitter la chambre. Vous aurez encore tout le temps de parler.

Unke les avait-elle espionnées ? Était-elle au courant du miroir glissé sous l'oreiller ? Merle se dit qu'elle n'avait aucune raison de se méfier de la gouvernante. Unke s'était même montrée très gentille et généreuse jusqu'à maintenant. Le simple fait qu'un masque lui cache la moitié du visage ne faisait pas d'elle un être mauvais.

Au moment de s'endormir, elle pensa à nouveau au masque d'Unke et se demanda dans un demi-sommeil si tout le monde ne portait pas parfois un masque.

Un masque de joie, de tristesse, d'indifférence.

Un masque qui dit aux autres : « Vous ne pouvez pas me voir. »

Chapitre 2

Les yeux en miroir

Dans son rêve, Merle fit la rencontre de la Reine des eaux.

Elle-même chevauchait un animal en verre vivant et galopait à travers la lagune. Des formes fantomatiques vertes et bleues bouillonnaient autour d'elle, comme des millions de petites gouttes, aussi chaudes que l'eau qui se trouvait à l'intérieur de son miroir. Elles caressaient ses joues, sa gorge, les paumes de ses mains tendues dans le sens du courant. Merle avait l'impression de ne faire plus qu'un avec la Reine des eaux, cette créature aussi insaisissable que le lever du soleil, les orages et les tempêtes, la vie et la mort. Elle s'enfonçait sous la surface de l'eau, mais continuait à respirer normalement, car la reine était en elle et la maintenait en vie, comme si elles n'étaient que deux parties d'un même corps.

Des bancs de poissons chatoyants l'accompagnaient vers son but, mais celui-ci lui paraissait de moins en moins important. Seul comptait le cheminement, cette union avec la Reine des eaux, ce sentiment de comprendre la lagune et de participer à sa beauté.

Et bien qu'il ne se passât rien d'autre et qu'elle se contentât de glisser aux côtés de la reine, ce rêve était le plus merveilleux que Merle ait fait depuis des mois et même des années. Ses nuits à l'orphelinat étaient marquées par le froid, les morsures de puces et la peur des voleurs. Mais ici, dans la maison d'Arcimboldo, elle se sentait enfin en sécurité.

Elle se réveilla brusquement. Dans un premier temps, elle crut qu'un bruit l'avait tirée de son sommeil. Mais tout était parfaitement silencieux.

La Reine des eaux. Tout le monde avait entendu parler d'elle. Et pourtant, personne ne savait qui elle était vraiment. Lorsque les galères égyptiennes avaient tenté de pénétrer dans la lagune vénitienne, après avoir mené leurs croisades destructrices à travers le monde, il s'était passé quelque chose d'incroyable. Quelque chose de merveilleux. La Reine des eaux les avait obligées à fuir. L'Empire égyptien, la plus grande puissance que l'histoire mondiale ait jamais connue et aussi la plus cruelle, avait dû battre honteusement en retraite.

Depuis, les légendes se multipliaient au sujet de la Reine des eaux.

Une chose était sûre : ce n'était pas un être de chair et de sang. Elle se trouvait dans l'eau de la lagune, les étroits canaux de la ville, les étendues de mer séparant les îles. Les membres du Conseil prétendaient s'entretenir régulièrement avec elle et agir selon ses désirs. Si jamais elle avait déjà pris la parole, ce n'était pas en présence de gens du peuple.

Certains disaient qu'elle n'était pas plus grosse qu'une goutte et en perpétuel mouvement ; selon d'autres, elle était l'eau même et était donc contenue dans la moindre gorgée. Elle était plus une force qu'une créature.

Beaucoup la tenaient pour une divinité emplissant chaque chose et chaque être.

Les croisades d'Aménophis avaient semé partout la souffrance et la mort ; le tyran et son empire avaient imposé leur joug au monde entier – à l'exception de la lagune, protégée depuis maintenant plus de trente ans par l'aura de la Reine des eaux. La ville entière lui en était reconnaissante. Des messes étaient tenues en son honneur dans les églises, les pêcheurs lui offraient une partie de leur capture et même la guilde secrète des voleurs s'abstenait, à certains moments de l'année, d'exercer son art en signe de gratitude.

Là – encore le même bruit ! Cette fois, cela ne faisait plus de doute.

Merle se redressa dans son lit, l'esprit encore bercé par des bribes de rêve, telles des vaguelettes qui viennent lécher les pieds des promeneurs sur la plage.

Le grincement métallique se répéta. Il venait de la cour. Merle connaissait bien ce bruit – c'était le couvercle de la citerne. Dans tout Venise, on entendait résonner les lourds couvercles des puits. Ces citernes étaient présentes partout, sur toutes les places publiques et dans la plupart des cours. Leurs enceintes circulaires étaient ornées de motifs et d'êtres fabuleux taillés dans la pierre. Les puits étaient fermés par d'immenses couvercles en forme de demi-cercles qui protégeaient la précieuse eau potable des saletés et des rats.

Qui pouvait bien s'occuper de la citerne à une heure pareille ? Merle se leva et frotta ses yeux encore tout ensommeillés. Elle s'approcha de la fenêtre d'un pas un peu chancelant.

Elle eut juste le temps d'apercevoir, à la lueur de la lune, une silhouette escalader le bord de la citerne et se glisser dans le puits sombre. Quelques secondes plus tard, des mains émergèrent de l'obscurité, agrippèrent le bord du couvercle et le remirent à sa place avec un grincement caractéristique.

Merle en eut le souffle coupé. Elle se baissa instinctivement pour se cacher, bien que la silhouette ait déjà disparu depuis longtemps à l'intérieur du puits.

Unke ! C'était elle qui se trouvait dans la cour, Merle l'avait reconnue. Pourquoi la gouvernante descendait-elle dans le puits au beau milieu de la nuit ?

Merle se retourna et voulut réveiller Junipa.

Le lit était vide.

– Junipa ? chuchota-t-elle d'une voix tendue.

La chambre était petite et il n'y avait aucun coin qu'elle ne puisse voir d'où elle était. Aucune cachette possible.

À moins que…

Merle se baissa et regarda sous les deux lits. Mais là encore, il n'y avait pas la moindre trace de l'adolescente.

Elle se dirigea vers la porte. Elle n'avait ni verrou, ni serrure. Le couloir était complètement silencieux.

Merle inspira profondément. Le sol était froid sous ses pieds. Elle passa rapidement une robe et glissa les pieds dans ses chaussures en cuir usées. C'étaient des bottines à lacets qui montaient jusqu'aux chevilles. Merle était trop pressée pour nouer les lacets correctement, mais elle ne pouvait partir ainsi à la recherche de Junipa et manquer de trébucher au moindre pas. Elle les laça donc hâtivement. Ses doigts tremblaient et cela lui prit deux fois plus de temps qu'à l'habitude.

Lorsqu'elle eut enfin fini, elle se glissa dans le couloir et referma la porte derrière elle. Elle entendit au loin un sifflement inquiétant. Ce n'était pas un bruit d'animal ;

cela ressemblait plutôt à une machine à vapeur. Mais elle aurait été incapable de dire si la source du bruit se trouvait dans la maison. Le sifflement reprit bientôt, suivi d'un bruit de pilonnage régulier. Puis le silence revint. Alors que Merle s'était déjà engagée dans l'escalier pour descendre à l'étage inférieur, elle se rappela qu'il n'y avait que deux maisons habitées dans le canal des Bannis – l'atelier de miroiterie d'Arcimboldo et celui du tisserand sur l'autre rive.

Toute la maison était baignée d'un parfum étrange, un mélange d'huile, d'acier poli et de cette substance mystérieuse à l'odeur pénétrante qu'elle avait déjà sentie dans les ateliers de verrerie de l'île de Murano. Elle n'y avait été qu'une seule fois. À l'époque, un vieux verrier avait proposé de la prendre chez lui. Dès son arrivée, il lui avait ordonné de lui frotter le dos dans son bain. Merle avait attendu qu'il soit assis dans l'eau et était repartie au débarcadère en courant aussi vite qu'elle le pouvait. Elle était revenue en ville, cachée dans un bateau. Les responsables de l'orphelinat avaient l'habitude de ce genre de mésaventures et, bien qu'ils ne soient guère ravis de la revoir, ils avaient eu la décence de ne pas la renvoyer à Murano.

Merle arriva sur le palier du deuxième étage. Elle n'avait encore rencontré personne, ni perçu le moindre signe de vie. Où dormaient les autres apprentis ? Sans doute au troisième étage, comme Junipa et elle. Unke, elle le savait, n'était pas dans la maison – elle préférait pour l'instant ne pas se poser trop de questions sur ce que pouvait bien faire la mystérieuse gouvernante à l'intérieur de la citerne.

Restait Arcimboldo. Et, bien sûr, Junipa. Peut-être avait-elle eu simplement un besoin pressant ? Les toilettes – ou plutôt l'étroit encorbellement se déversant directement dans le canal qui faisait office de toilettes – se trouvaient également au troisième étage. Merle n'avait pas regardé si elles étaient occupées. Elle s'en voulait à présent de ne pas avoir pensé à la chose la plus évidente. À l'orphelinat, c'était toujours mauvais signe lorsque l'un des enfants disparaissait de son lit au cours de la nuit. Rares étaient ceux qui réapparaissaient.

Elle s'apprêtait à faire demi-tour pour remonter au troisième étage lorsque le sifflement résonna à nouveau. C'était un son artificiel, qui semblait venir d'une machine. Elle frissonna.

Un instant, elle crut entendre derrière le sifflement un autre bruit, à peine perceptible.

Un sanglot.

Junipa !

Merle essaya d'habituer ses yeux à l'obscurité de la cage d'escalier. Seule une fenêtre haute laissait passer un peu de lumière et la lueur était si faible que cela lui suffisait à peine pour distinguer les marches sous ses pieds. Dans le couloir à sa gauche, elle entendait le tic-tac d'une horloge à la silhouette monstrueuse ; on aurait dit un cercueil appuyé contre le mur.

Elle en était sûre, à présent : le sifflement et le sanglot venaient de l'intérieur de la maison. D'en bas. De l'atelier au premier étage.

Merle dévala les marches. L'escalier donnait sur un corridor au plafond haut et voûté. Elle s'y engagea, aussi vite et silencieusement que possible. Sa gorge était serrée et elle avait l'impression que sa respiration faisait autant de bruit que les bateaux à vapeur sur le Grand Canal. Et si elle était tombée avec Junipa de Charybde en Scylla ? Si Arcimboldo se révélait être un personnage aussi abject que le vieux verrier de Murano ?

Elle eut un sursaut d'effroi en voyant une silhouette bouger à côté d'elle. Mais ce n'était que son propre reflet dans l'un des innombrables miroirs accrochés au mur.

Le sifflement résonnait maintenant à intervalles de plus en plus rapprochés. Unke ne leur avait pas montré l'atelier. Elle avait juste évoqué qu'il se trouvait au premier étage. Il y avait plusieurs portes, toutes hautes, sombres et fermées. Merle tentait de se repérer aux bruits. Le sanglot s'était tu entre-temps. Merle avait les larmes aux yeux en pensant que Junipa était peut-être en danger, seule, sans défense.

Elle était sûre d'une chose : elle ne tolérerait pas que l'on fasse du mal à sa nouvelle amie, même si elles devaient pour cela retourner toutes les deux à l'orphelinat. Elle préférait ne pas imaginer le pire. Mais les vilaines pensées virevoltaient dans son esprit comme un essaim de petits moustiques. Il faisait nuit. Tout était sombre. Beaucoup de gens avaient déjà disparu dans les canaux. Personne ne se demanderait ce qui était arrivé à deux orphelines. Cela ferait deux bouches de moins à nourrir, c'est tout.

Le couloir obliquait vers la droite. À l'autre extrémité se détachait le contour rougeoyant d'une porte en ogive à double vantail. Une lumière s'échappait par les fentes des battants. On aurait dit des fils d'or tenus dans la flamme d'une bougie. Un grand feu devait brûler à l'intérieur de l'atelier – le four à charbon de la fameuse machine qui poussait ces sifflements et crachats tout droit issus d'une époque ancestrale.

En s'approchant de la porte sur la pointe des pieds, Merle s'aperçut qu'une couche de fumée flottait sur le carrelage du corridor, tel un fin brouillard. La fumée venait de sous la porte ; le feu qui brûlait à l'intérieur de la pièce lui donnait une teinte mordorée.

Et si jamais le feu s'était déclaré dans l'atelier ? « Reste calme, se répétait Merle. Surtout, pas de panique. »

La fumée au sol tourbillonnait sur son passage et dessinait dans l'obscurité des silhouettes nébuleuses dont les ombres démesurées aux formes grotesques se projetaient sur les murs. Le fil ardent qui entourait les battants de la porte était l'unique source de lumière.

Plongée dans l'obscurité et le brouillard face à cette porte embrasée, Merle avait l'impression de se trouver aux portes de l'Enfer, tant la scène était irréelle, angoissante.

Les effluves pénétrants qu'elle avait sentis dans l'escalier la prenaient aux narines. L'odeur d'huile était également de plus en plus forte. La rumeur voulait que, au cours des derniers mois, des messagers de l'Enfer soient venus trouver les membres du Conseil pour leur proposer de l'aide dans la lutte contre l'Empire. Mais les conseillers avaient refusé de pactiser avec le diable ; tant que la Reine des eaux les protégeait, ils n'en voyaient pas la nécessité. Depuis qu'une expédition de la National Geographic Society, emmenée par le célèbre professeur Charles Burbridge, avait permis en 1833 de localiser précisément l'Enfer au cœur de la Terre, il y avait eu plusieurs rencontres entre les envoyés de Satan et des délégués de l'humanité. Mais personne n'en savait davantage à ce sujet, et cela valait sans doute mieux.

Toutes ces pensées agitaient l'esprit de Merle tandis qu'elle s'approchait de la porte de l'atelier. Avec d'infinies précautions, elle plaqua la main sur la surface en bois. Elle s'attendait à ce que la porte soit chaude, mais elle s'était trompée. Le bois était froid et ne se distinguait en rien des autres portes en bois de la maison. Merle passa le doigt sur la poignée métallique ; elle aussi était froide.

Elle se demanda si elle devait entrer dans la pièce. C'était la seule chose qu'elle puisse faire. Elle était seule et doutait que quiconque dans cette maison lui vienne en aide.

Au moment même où elle venait de prendre sa décision, quelqu'un appuya sur la poignée de l'autre côté de la porte. Merle fit volte-face, voulut s'enfuir, puis se réfugia au dernier moment dans l'ombre du battant de gauche. Le battant droit s'ouvrit brutalement vers l'intérieur.

Un flot ardent inonda le sol et le courant d'air dissipa les nappes de fumée à l'endroit où se trouvait Merle quelques instants plus tôt. Une ombre apparut dans l'aura de lumière. Quelqu'un sortit dans le couloir.

Merle se pressait le plus possible contre le battant de la porte. La silhouette n'était qu'à deux mètres d'elle.

Les ombres peuvent donner aux personnes les plus inoffensives une apparence menaçante. Elles transforment les nains en géants et les faibles en éléphants. Merle en avait une nouvelle fois la preuve.

Au fur et à mesure que le petit vieillard s'éloignait de la source lumineuse, son ombre rétrécissait. Tel que Merle le voyait à présent, il paraissait même un peu ridicule avec son pantalon trop long et son tablier noirci par la suie et la fumée. Ses cheveux gris partaient dans tous les sens. Une goutte de sueur coula sur sa tempe et fut arrêtée par ses favoris broussailleux.

Sans remarquer la présence de Merle, il revint vers la porte et tendit la main dans la lumière. Merle vit alors au sol une deuxième ombre se fondre dans la sienne.

– Viens, mon enfant, dit le vieil homme d'une voix douce. Sors.

Merle ne bougeait pas d'un pouce. Ce n'était pas ainsi qu'elle avait imaginé sa première rencontre avec

Arcimboldo. La seule chose qui la rassurait un peu, c'était la voix étonnamment calme et placide du vieil homme.

C'est alors que le miroitier ajouta :

– La douleur va bientôt s'atténuer.

La douleur ?

– N'aie pas peur, dit Arcimboldo, toujours tourné vers la porte ouverte. Tu vas vite t'y habituer, crois-moi.

Merle osait à peine respirer.

Arcimboldo fit deux ou trois pas à reculons dans le couloir. Il avait toujours les mains tendues dans un geste d'invite.

– Approche... Voilà, très bien. Va lentement.

Junipa apparut dans la porte et avança dans le couloir en faisant de petits pas mal assurés. Elle avait une démarche raide et très hésitante.

« Mais elle ne voit rien ! » se dit Merle, désespérée. Pourquoi Arcimboldo la laissait-il marcher toute seule, sans l'aider, dans un endroit qui lui était inconnu ? Pourquoi ne l'attendait-il pas pour qu'elle puisse saisir sa main ? Au contraire, il reculait de plus en plus, s'éloignait de la porte. Il risquait à tout moment de découvrir Merle cachée dans l'ombre. Fascinée, elle ne pouvait détacher les yeux de Junipa qui avançait à tâtons dans le corridor, juste à côté d'elle. Arcimboldo avait lui aussi les yeux rivés sur la jeune fille.

– C'est bien, dit-il d'un ton encourageant. Tu te débrouilles très, très bien.

La fumée au sol se dissipait peu à peu. Il ne sortait plus aucun nuage de l'atelier. La lumière de braise plongeait le couloir dans une lueur orange, tremblante et menaçante.

– Tout est tellement... flou, murmura Junipa d'une petite voix.

« Flou ? » pensa Merle, étonnée.

– Ça va passer, dit le miroitier. Attends un peu... Demain matin, à la lumière du jour, tout te semblera déjà très différent. Fais-moi confiance. Approche encore un peu.

Les pas de Junipa se faisaient plus sûrs. Ses hésitations ne venaient pas du fait qu'elle ne voyait rien. Bien au contraire.

– Que vois-tu exactement ? demanda Arcimboldo.

– Je ne sais pas. Quelque chose qui bouge.

– Ce ne sont que des ombres. N'aie pas peur.

Merle n'en croyait pas ses oreilles. Comment était-ce possible ? Comment Arcimboldo avait-il pu rendre la vue à Junipa ?

– C'est la première fois que je vois, dit Junipa d'un ton désemparé. J'ai toujours été aveugle.

– Cette lumière que tu vois, est-elle rouge ? demanda le miroitier.

– Je ne sais pas ce que vous appelez la lumière, répondit-elle d'une voix mal assurée. Et je ne sais pas à quoi correspondent les couleurs.

Arcimboldo eut un petit rictus d'énervement, irrité par sa propre sottise.

– En effet, ce n'est pas très malin de ma part, j'aurais pu y penser.

Il s'arrêta et attendit de pouvoir saisir les mains tendues de Junipa.

– Tu vas devoir apprendre beaucoup de choses au cours des prochaines semaines et des prochains mois.

– C'est pour ça que je suis ici.

– Ta vie va changer, maintenant que tu vois.

Merle n'y tint plus. Sans penser aux conséquences de son geste, elle sortit de sa cachette et bondit dans la lumière.

– Que lui avez-vous fait ?

Arcimboldo regarda dans sa direction d'un air étonné. Junipa cligna elle aussi des yeux. Elle faisait des efforts pour distinguer quelque chose.

– Merle ? demanda-t-elle.

– Je suis là.

Merle s'approcha de Junipa et lui toucha doucement le bras.

– Ah, notre deuxième petite élève.

La surprise d'Arcimboldo avait été de courte durée.

– Tu es bien curieuse, on dirait. Mais ça ne fait rien. De toute manière, tu l'aurais appris demain matin. C'est donc toi, Merle.

Elle acquiesça.

– Et vous êtes Arcimboldo.

– En effet, en effet.

Merle se retourna vers Junipa. La vision la prit de plein fouet. Au premier coup d'œil, dans le couloir faiblement éclairé, elle n'avait pas remarqué la différence ; elle se demandait à présent comment cela avait pu lui échapper. Elle eut l'impression qu'une main glacée lui passait dans le dos.

– Mais… comment…

Arcimboldo sourit fièrement.

– Du beau travail, n'est-ce pas ?

Merle ne répondit rien. Elle continuait à contempler Junipa, muette de surprise.

Son visage.

Ses yeux.

Ses globes oculaires avaient disparu. À leur place brillaient, sous les paupières, de petits miroirs argentés incrustés dans les orbites. Pas ronds, comme un œil normal, mais plats. Arcimboldo avait remplacé les yeux de Junipa par des éclats de miroir en cristal.

– Qu'avez-vous…

Arcimboldo lui coupa doucement la parole.

– Que lui ai-je fait ? Rien, mon enfant. Elle a recouvré la vue, au moins en partie. Son acuité visuelle va s'améliorer de jour en jour.

– Elle a des miroirs à la place des yeux !

– En effet.

– Mais… mais c'est…

– De la magie ?

Arcimboldo haussa les épaules.

– On peut dire les choses ainsi. Moi, j'appelle ça de la science. En dehors de l'être humain et de l'animal, il n'y a qu'une chose au monde capable de voir : le miroir. Si tu regardes dans un miroir, il te rend ton regard. C'est la première chose que l'on apprend dans mon atelier, Merle. Retiens bien ça. Les miroirs peuvent voir.

– Il a raison, Merle, renchérit Junipa. Je vois vraiment. Et j'ai l'impression que ma vue s'améliore de minute en minute.

Arcimboldo acquiesça avec enthousiasme.

– C'est formidable !

Il s'empara de la main de Junipa et esquissa avec elle un petit pas de danse, en faisant attention à ne pas la faire tomber. Le tapis de fumée, ou plutôt ce qu'il en restait, virevoltait autour d'eux.

– Dis-lui donc ce que tu en penses, toi. N'est-ce pas fantastique ?

Merle les dévisageait tous les deux. Elle n'arrivait toujours pas à croire ce qui se passait sous ses yeux. Junipa, l'aveugle de naissance, avait recouvré la vue. Après treize années passées dans l'obscurité. Et tout cela, elle le devait à Arcimboldo, ce petit homme chétif aux cheveux hirsutes.

– Aide ton amie à remonter dans votre chambre, dit le miroitier en lâchant Junipa. Vous allez avoir une dure journée demain. Chaque journée passée dans mon atelier est fatigante. Mais je crois que ça va vous plaire. Oui, je le pense vraiment.

Il tendit la main à Merle et ajouta :

– Bienvenue dans la maison d'Arcimboldo.

Encore un peu abasourdie, elle se rappela ce qu'on lui avait seriné à l'orphelinat.

– Merci de nous accueillir chez vous, répondit-elle d'un ton docile.

Mais elle entendit à peine ce qu'elle disait, tant elle était troublée. Elle suivit du regard le vieil homme jovial qui retournait dans son atelier d'un pas sautillant, avant de refermer la porte derrière lui.

Merle s'empara timidement de la main de Junipa et l'aida à remonter au troisième étage. Elle s'arrêta à plusieurs reprises pour lui demander si les douleurs étaient supportables. Chaque fois que Junipa tournait la tête vers elle, Merle frissonnait. Ce n'était plus son amie qu'elle voyait dans ces yeux en miroir, mais elle-même, ou plutôt son double reflet légèrement déformé. Elle se consola en se disant que ce n'était sûrement qu'une question d'habitude et que le visage de Junipa lui paraîtrait bientôt tout à fait normal.

Pourtant, un doute subsistait dans son esprit. Avant, les yeux de Junipa étaient aveugles et laiteux. Désormais, ils étaient froids comme de l'acier poli.

– Je vois, Merle. Je vois.

Junipa ajouta encore quelques mots à voix basse, alors qu'elles étaient allongées dans leur lit, puis s'endormit.

Merle fut tirée de ses rêves confus plusieurs heures plus tard, en entendant à nouveau le grincement du couvercle du puits, tout en bas dans la cour, très loin.

Les premiers jours à l'atelier de miroiterie d'Arcimboldo furent pénibles, car Merle et Junipa devaient exécuter toutes les tâches que les trois autres apprentis plus âgés n'avaient pas envie de faire. Le travail de Merle consistait par exemple à balayer plusieurs fois par jour les fins cristaux de miroir qui se déposaient sur le sol de l'atelier, semblables au sable que le vent amenait de la mer certains étés et faisait souffler dans les rues de Venise.

Comme l'avait promis Arcimboldo, la vue de Junipa s'améliorait de jour en jour. Elle ne percevait toujours que des silhouettes et des ombres, mais elle était désormais capable de les distinguer et tenait à se débrouiller toute seule dans cet atelier qui lui était encore inconnu. On prenait donc soin de lui confier des tâches simples, même si elles n'étaient guère plus agréables que celles de Merle. Elle n'eut droit à aucun répit après les événements de la première nuit. Son travail consistait notamment à peser le sable quartzeux contenu dans d'énormes sacs et à le transvaser dans des verres doseurs. Les adolescentes ignoraient ce qu'Arcimboldo pouvait bien faire de tout ce sable.

Les méthodes de fabrication employées à l'atelier étaient de manière générale très éloignées des traditions qui faisaient la fierté de Venise. Au XVIe siècle, l'art de la miroiterie était réservé à quelques rares initiés. Tous habitaient sous haute surveillance à Murano, sur l'île des souffleurs de verre. Ils vivaient dans le luxe et ne manquaient de rien – en dehors de leur liberté : à partir du moment où ils entamaient leur apprentissage, ils n'avaient plus le droit de quitter l'île. Ceux qui tentaient de le faire le payaient de leur vie. Les agents de la Serenissima poursuivaient dans toute l'Europe les miroitiers parjures et exécutaient les traîtres avant qu'ils ne puissent transmettre leur secret à de tierces personnes. Les miroirs de Murano ornaient à l'époque les demeures de toutes les grandes dynasties européennes. Les miroitiers de Venise étaient les seuls à maîtriser cet art et la ville n'aurait pas livré ce secret pour tout l'or du monde. Mais certains miroitiers n'avaient pas autant de scrupules et réussirent à s'enfuir de Murano pour vendre leur secret aux Français. En guise de remerciements, ceux-ci les tuèrent, ouvrirent leurs propres ateliers et mirent ainsi fin au monopole de la ville de Venise. Bientôt, on commença à fabriquer des miroirs dans de nombreux pays ; les interdictions et les punitions infligées autrefois aux miroitiers de Murano tombèrent dans l'oubli.

Les miroirs d'Arcimboldo, quant à eux, relevaient autant de la chimie que de la verrerie. Dès les premiers jours, Merle se douta qu'il lui faudrait attendre des années avant qu'il ne l'initie à ce mystère. Même les trois garçons – Dario, le plus âgé, était là depuis deux ans déjà – n'en avaient pas la moindre idée. Ils avaient eu beau observer, épier et espionner le maître, ils n'avaient jamais réussi à percer le mystère d'Arcimboldo.

Dario, un garçon mince aux cheveux noirs, était le meneur des apprentis. En présence du maître, il obéissait toujours à la baguette, mais, dans le fond, c'était un sacripant qui n'avait guère changé depuis son arrivée de l'orphelinat. Durant leurs rares heures de loisir, il se montrait volontiers hâbleur et même un peu tyrannique. Mais les deux autres garçons en faisaient davantage les frais que Merle et Junipa. À vrai dire, Dario préférait les ignorer carrément toutes les deux. Il était agacé qu'Arcimboldo ait choisi des filles comme apprenties. Cela tenait sans doute aussi à ses relations tendues avec Unke. Il semblait redouter que Merle et Junipa ne se rangent du côté de la gouvernante en cas de conflit ou n'aillent lui raconter quelques-uns de ses secrets – par exemple le fait qu'il goûtait régulièrement aux meilleures bouteilles de vin rouge d'Arcimboldo, soigneusement gardées sous clé à la cuisine. Dario avait fabriqué un double de la clé à l'insu d'Unke. Merle avait découvert par hasard les larcins de Dario dès la troisième nuit, lorsqu'elle l'avait surpris dans le couloir avec une cruche pleine de vin à la main. Il ne lui serait jamais venu à l'idée de tirer avantage de ce savoir, mais visiblement, c'était ce que redoutait Dario. À partir de ce moment, il s'était comporté envers elle de manière encore plus froide, voire franchement hostile, même s'il n'osait pas la défier ouvertement. La plupart du temps, il la laissait tranquille. Enfin, c'était toujours mieux que le traitement qu'il réservait à Junipa, qui semblait ne pas exister à ses yeux.

Merle se demandait secrètement pourquoi Arcimboldo avait choisi comme apprenti un garçon aussi indiscipliné que Dario. Cela l'amenait toutefois à s'interroger sur ce qu'il lui trouvait à elle et elle n'avait aucune réponse non plus à apporter à cette question. Junipa devait être un sujet idéal pour se livrer à ses expériences avec les éclats de miroir – mais pourquoi avoir choisi Merle ? Ne l'ayant jamais vue, il avait dû se fier à ce que lui avaient dit les surveillants. Or, Merle doutait qu'Arcimboldo ait entendu beaucoup de bien sur son compte. À l'orphelinat, on la trouvait rebelle et impertinente – c'est ainsi que les surveillants qualifiaient les enfants curieux et sûrs d'eux.

Les autres apprentis n'avaient qu'un an de plus que Merle. L'un d'eux, un garçon pâle aux cheveux roux, s'appelait Tiziano, l'autre – chétif, avec une sorte de bec-de-lièvre –, Boro. Ils semblaient heureux de ne plus être les benjamins de la maison et prenaient plaisir à donner des ordres à Merle, mais sans méchanceté. Quand ils se rendaient compte que sa charge de travail était trop importante, ils l'aidaient sans qu'elle ait besoin de le leur demander. Ils paraissaient en revanche mal à l'aise avec Junipa et même Boro l'évitait. Les garçons reconnaissaient l'autorité de Dario. Ils ne lui étaient pas entièrement dévoués, comme c'était le cas dans certaines bandes d'enfants que Merle avait pu observer à l'orphelinat, mais on voyait clairement qui était le chef. Dario avait commencé son apprentissage chez Arcimboldo un an avant eux.

Une semaine et demie environ après leur arrivée, peu avant minuit, Merle vit pour la deuxième fois Unke descendre dans le puits. Elle songea à réveiller Junipa, mais changea finalement d'avis. Elle resta un instant debout devant la fenêtre, les yeux fixés sur le couvercle de la citerne, puis elle se recoucha, en proie à une grande nervosité.

Elle avait raconté à Junipa ce qu'elle avait observé au cours de l'une de leurs premières soirées.

– Et elle est vraiment descendue dans la citerne ? avait demandé Junipa.

– Si je te le dis !

– Peut-être que la corde du seau d'eau s'était rompue.

– Tu descendrais au beau milieu de la nuit dans un puits obscur juste parce qu'une corde s'est rompue, toi ? Dans ce cas, elle aurait pu le faire dans la journée. Et puis, elle nous aurait plutôt envoyées le faire à sa place, ajouta Merle en secouant résolument la tête. Elle n'avait même pas de lampe.

La lune se reflétait dans les yeux en miroir de Junipa. Ils brillaient d'une lumière blanche et glaciale. Comme souvent, Merle réprima un frisson de frayeur. Elle avait parfois l'impression que Junipa voyait au-delà des apparences avec ses nouveaux yeux – comme si elle avait pu regarder au plus profond de Merle.

– Tu as peur d'Unke ? demanda Junipa.

Merle réfléchit brièvement.

– Non. Mais reconnais qu'elle est étrange.

– Peut-être le serions-nous aussi, si nous devions porter un masque.

– Et pourquoi porte-t-elle un masque, justement ? Personne, hormis Arcimboldo, ne semble le savoir. J'ai même posé la question à Dario.

– Tu n'as qu'à lui demander directement.

– Ce serait impoli s'il s'agit d'une maladie.

– Qu'est-ce que ça pourrait être, sinon ?

Merle se tut. Elle s'était déjà souvent posé la question. Elle avait une hypothèse, très vague ; depuis que cette idée avait germé dans sa tête, cela l'obsédait. Mais elle préférait ne pas en parler à Junipa.

Depuis ce soir-là, Merle et Junipa n'avaient plus parlé d'Unke. Il y avait tant d'autres choses à raconter, tant d'impressions nouvelles, de découvertes, de choses excitantes. Surtout pour Junipa, dont l'acuité visuelle s'améliorait rapidement, chaque jour était une nouvelle aventure. Merle enviait un peu son enthousiasme face aux choses les plus infimes ; en même temps, elle se réjouissait pour elle de cette guérison inespérée.

Le lendemain du jour où Merle vit Unke descendre au fond du puits pour la deuxième fois, il se passa quelque chose qui lui ôta de l'esprit le souvenir de la scène nocturne.

Elle fit la connaissance des apprentis qui travaillaient de l'autre côté du canal, les élèves du maître tisserand Umberto.

Durant les onze journées que Merle avait passées dans la maison du miroitier, elle avait presque oublié la présence de l'atelier de tissage de l'autre côté. Rien ne trahissait la discorde entre les deux artisans qui avait autrefois captivé tout Venise. Merle n'avait pas quitté la maison une seule fois durant tout ce temps. Son quotidien se réduisait à l'atelier, aux réserves, au réfectoire et à sa chambre. De temps en temps, un des apprentis accompagnait Unke au marché aux légumes de Rio San Barnabo, mais jusqu'à présent, le choix de la gouvernante s'était toujours porté sur l'un des garçons : ils étaient plus grands et portaient sans mal les lourdes caisses.

Merle fut donc prise complètement au dépourvu lorsque les apprentis de l'autre atelier se rappelèrent soudain à son souvenir. Comme elle l'apprit plus tard, la tradition voulait depuis des années que les élèves des deux maisons se jouent des tours ; ces épisodes se terminaient bien souvent par des vitres brisées, des punitions, des bleus et des égratignures. La dernière attaque remontait à trois semaines et elle était le fait de Dario, Boro et Tiziano. La revanche des apprentis tisserands n'était donc qu'une question de temps.

Merle ne sut jamais pourquoi ils avaient choisi précisément ce matin-là. Elle ignorait également comment ils s'étaient introduits dans la maison – elle les soupçonnait d'avoir fait glisser une planche au-dessus du canal. Comme cela s'était passé au beau milieu de la matinée, durant les heures de travail, l'assaut avait eu lieu de toute évidence avec la bénédiction d'Umberto, de même que les attaques précédentes de Dario et les autres avaient été menées en accord avec Arcimboldo.

Merle était en train d'encoller le cadre en bois d'un miroir lorsqu'un vacarme retentit à l'entrée de l'atelier.

Elle leva les yeux, effrayée, pensant que Junipa avait trébuché sur un outil.

Mais ce n'était pas Junipa. Une petite silhouette avait dérapé sur un tournevis et s'efforçait de garder son équilibre fort compromis. Son visage était dissimulé par un masque d'ours en papier glacé. L'une de ses mains s'agitait frénétiquement en l'air, tandis que la poche de peinture, qui lui avait échappé de l'autre main, formait sur le sol une tache bleue en étoile.

– Les tisserands ! hurla Tiziano. Il se leva d'un bond et abandonna son ouvrage.

– Les tisserands ! Les tisserands ! répéta Boro à l'autre bout de l'atelier.

Dario s'était levé lui aussi entre-temps. Merle se redressa, intriguée. Son regard erra dans la pièce. Elle ne comprenait pas ce qui se passait puisque personne ne lui avait encore parlé des bagarres entre apprentis.

La silhouette masquée à l'entrée glissa sur la flaque de peinture et tomba les quatre fers en l'air. Avant que Dario et les autres n'aient le temps de se moquer ou de se ruer vers lui, trois autres garçons apparurent dans le corridor. Tous portaient des masques en papier. L'un des masques retint l'attention de Merle : c'était un visage d'animal fabuleux, moitié homme, moitié oiseau. Le long bec recourbé était doré et de minuscules billes de verre brillaient sous les sourcils dessinés au pinceau.

Merle n'eut pas le temps de détailler les autres masques, car une pluie de poches de peinture s'abattirent dans sa direction. L'une des poches s'écrasa à ses pieds dans un éclaboussement de couleur rouge, une autre la toucha à l'épaule et tomba au sol sans éclater. La poche roula en direction de Junipa qui était plantée au milieu de la pièce, un balai de brindilles à la main, ne sachant trop ce qui se passait autour d'elle. Mais elle ne tarda pas à comprendre la situation, se pencha, attrapa la poche de peinture et la lança en direction des garçons. Le garçon au masque d'ours bondit de côté et le projectile atteignit le garçon à la tête d'oiseau qui se tenait derrière lui. La poche éclata sur la pointe du bec et inonda le garçon de peinture verte.

Dario jubila et Tiziano donna à Junipa une tape admirative sur l'épaule. Le deuxième assaut ne se fit pas attendre. Cette fois, ils s'en sortirent moins bien. Boro, Tiziano et Merle furent touchés et aspergés de peinture des pieds à la tête. Du coin de l'œil, Merle vit Arcimboldo claquer en grommelant la porte de la réserve et la verrouiller de l'intérieur. Les apprentis pouvaient bien se casser la figure tant qu'il n'arrivait rien aux miroirs magiques déjà finis.

Les apprentis étaient livrés à eux-mêmes. Quatre contre quatre. En fait, ils étaient cinq contre quatre, si l'on comptait Junipa ; en dépit de ses yeux malades, c'est elle qui avait marqué le premier point pour l'équipe des miroitiers.

– Ce sont les apprentis de l'autre rive, cria Boro à Merle en s'emparant d'un balai et en le brandissant à deux mains devant lui comme une épée. Quoi qu'il arrive, nous devons défendre l'atelier.

« Voilà bien des jeux de garçons », se dit Merle, un peu désemparée, en passant les mains sur sa robe couverte de peinture. Pourquoi fallait-il toujours qu'ils s'adonnent à des sornettes de ce genre ? Que voulaient-ils se prouver par là ?

Elle leva les yeux – et une poche de peinture s'écrasa sur son front. Une substance épaisse et jaunâtre se répandit sur son visage et ses épaules.

C'en était assez ! Avec un cri furieux, elle attrapa la bouteille de glu dont elle se servait pour encoller le cadre du miroir et se précipita sur le premier apprenti tisserand venu. C'était celui au masque d'ours. Il la vit s'approcher et tenta d'attraper la poche accrochée à sa musette. Trop tard ! Merle était déjà arrivée à son niveau. Elle le projeta en arrière, s'agenouilla sur sa poitrine et glissa le goulot de la bouteille de glu dans la fente de l'œil gauche.

– Ferme les yeux ! ordonna-t-elle avant d'injecter une puissante giclée de glu sous le masque.

Le garçon poussa un juron, puis ses paroles furent étouffées par un gargouillement, suivi d'un long « Beuuuurk ! ».

Voyant que son adversaire était momentanément hors d'état de nuire, elle le repoussa et se remit sur ses jambes. Elle tenait la bouteille de glu devant elle comme un pistolet, bien que cela ne rime plus à grand-chose puisque celle-ci était pratiquement vide. Du coin de l'œil, elle vit que Boro et Tiziano étaient en train de se battre avec deux des apprentis tisserands. La bagarre était âpre et l'un des masques s'était cassé. Mais plutôt que d'intervenir, Merle se précipita vers Junipa, la prit par le bras et l'amena derrière l'un des bancs de l'atelier.

– Ne bouge pas d'ici, lui souffla-t-elle.

Junipa protesta.

– Je ne suis pas aussi faible que tu le crois.

– Je n'ai pas dit ça.

Merle regarda en souriant le garçon au masque d'oiseau que Junipa avait pris pour cible. Son buste était entièrement vert.

– Mais reste quand même à l'abri. Ça ne va plus être long.

Lorsqu'elle se releva, elle se rendit compte qu'elle avait été un peu optimiste. Les adversaires de Tiziano avaient repris le dessus. Et il n'y avait pas trace de Dario. Merle l'aperçut soudain dans l'encadrement de la porte. Il tenait à la main l'un des couteaux dont se servait habituellement Arcimboldo pour rectifier la coupe des minces plaques d'argent ornant le dos des miroirs. La lame n'était pas bien longue, mais extrêmement acérée.

– Serafin ! lança Dario au garçon au masque d'oiseau. Viens, si tu l'oses !

Le jeune tisserand vit le couteau dans la main de Dario et décida de relever le défi. Ses deux compagnons se replièrent vers l'entrée ; Boro aida Tiziano à se remettre debout et poussa Merle dans un coin de l'atelier.

– Mais ils sont fous ! s'exclama-t-elle dans un souffle. Ils vont se tuer !

Le front plissé de Boro montrait qu'il partageait ses craintes.

– Dario et Serafin se haïssent depuis le premier jour. Serafin est le meneur des tisserands. C'est lui qui a monté tout ça.

– Ce n'est pas une raison pour l'attaquer au couteau.

Pendant ce temps, Dario et Serafin s'étaient rejoints au centre de la pièce. Merle admirait la légèreté et la grâce avec lesquelles Serafin se déplaçait. Il évita habilement les attaques maladroites de Dario qui fendait le vide avec son couteau. Avant que Dario ait compris ce qui lui arrivait, le jeune tisserand lui prit le couteau des mains. Dario se jeta avec un cri de rage sur son adversaire et lui asséna un coup de poing mauvais au gosier. Le masque d'oiseau jaune glissa sur le côté, découvrant le visage de Serafin. Il avait des pommettes bien dessinées et quelques taches de rousseur sur le nez. Ses cheveux étaient blonds, sans être aussi clairs que ceux de Junipa ; la peinture verte les collait par mèches.

Ses yeux bleu clair plissés par la colère, l'apprenti tisserand ne laissa pas à Dario le temps de réagir et le projeta d'un coup violent contre le banc de l'atelier derrière lequel se cachait Junipa. Dario bondit par-dessus le banc pour s'en servir comme barrière entre lui et son adversaire. Junipa recula d'un pas. Mais Serafin bondit lui aussi de l'autre côté du banc et tenta à nouveau d'attraper Dario. Celui-ci avait été touché par le dernier coup et saignait du nez. Plutôt que de se mesurer à son rival, il fit volte-face, saisit Junipa par les épaules, la poussa brutalement devant lui et lui donna une puissante secousse qui la fit trébucher en direction de Serafin.

Merle poussa un cri de colère.

– Quel lâche !

Le garçon tisserand regarda Junipa arriver vers lui et vit que Dario suivait le mouvement, prêt à attaquer. Serafin avait le choix : soit il retenait Junipa pour l'empêcher de s'écraser dans les étagères remplies de flacons en verre, soit il l'évitait pour se battre avec son ennemi de toujours.

Serafin opta pour la première solution. Il attrapa Junipa et la garda un moment dans ses bras dans une étreinte à la fois protectrice et apaisante.

– Ne t'inquiète pas, murmura-t-il, il ne va rien t'arriver.

À peine avait-il prononcé ces mots que Dario lui donna un coup de poing au visage par-dessus l'épaule de Junipa.

– Non ! hurla Merle, hors d'elle.

Elle passa à côté de Boro et de Tiziano, fit le tour du banc et agrippa Dario pour le séparer de Serafin et de Junipa.

– Qu'est-ce qui te prend ? glapit l'apprenti.

Mais elle le plaqua au sol avant qu'il n'ait le temps de réagir. Son regard croisa rapidement celui de Serafin, occupé à pousser Junipa de côté. Il souriait sous les traces de peinture verte et de sang. Puis il se dépêcha de rejoindre ses amis à l'entrée.

– On s'en va, dit-il.

Quelques secondes plus tard, les apprentis tisserands étaient déjà partis.

Sans s'occuper de Dario, Merle se tourna vers Junipa qui se tenait devant l'étagère à flacons, l'air hagard.

– Tout va bien ?

Junipa acquiesça.

– Oui... merci. Ça va.

Dario se mit à pester et à tempêter dans le dos de Merle. Elle sentit qu'il s'approchait d'elle. Elle se retourna brusquement, le fixa de ses petits yeux haineux et lui donna une gifle en y mettant toutes ses forces.

Dario voulut se précipiter sur elle, mais Unke intervint juste à ce moment. Elle attrapa énergiquement Merle par l'épaule et l'éloigna de Dario. Merle n'écouta pas les réprimandes d'Unke, pas plus qu'elle n'entendit les injures furieuses de Dario. Elle regardait d'un air songeur le corridor par où s'étaient enfuis Serafin et ses amis.

Chapitre 3

L'histoire d'Unke

– Que vais-je faire de vous, maintenant ?

Le ton semblait plus déçu que fâché. Arcimboldo était assis à son bureau, dans la bibliothèque. Les murs de la pièce étaient couverts d'ouvrages reliés de cuir. Merle se demandait s'il avait vraiment lu tous ces livres.

– Les dommages qu'ont faits les apprentis tisserands avec leurs taches de peinture sont presque négligeables par rapport à ce que vous avez fabriqué, tous les deux, poursuivit-il en dévisageant successivement Dario et Merle.

Tous deux étaient debout devant le bureau et regardaient par terre d'un air confus. Leur haine mutuelle ne s'était aucunement apaisée, mais même Dario semblait se rendre compte qu'il valait mieux la réprimer pour le moment.

– Vous avez attisé le conflit. Et vous avez obligé les autres à prendre parti. Si Unke n'était pas intervenue, Junipa, Boro et Tiziano auraient dû se décider pour l'un ou l'autre. (Un éclair furieux brilla dans les yeux soudainement sévères du vieil homme.) Je ne tolère aucune division entre mes élèves. J'exige que vous collaboriez et que vous évitiez tout différend inutile. Les miroirs magiques requièrent une certaine harmonie pour devenir ce qu'ils sont. Si le travail s'effectue dans une atmosphère hostile, une ombre va se déposer sur le verre et le rendre aveugle.

Merle avait l'impression qu'il leur mentait. Il voulait qu'ils se sentent coupables. Il aurait pourtant mieux fait de ne pas trop s'avancer pour ce qui était des « différends inutiles » : c'était quand même sa dispute puérile avec Umberto qui était à l'origine de tout ce remue-ménage.

La rupture se serait de toute manière produite tôt ou tard avec Dario, elle l'avait senti dès le premier jour. Il lui semblait qu'Arcimboldo l'avait pressenti, lui aussi. Regrettait-il de l'avoir engagée ? Allait-elle devoir retourner dans l'univers sale et pauvre de l'orphelinat ?

Malgré ses craintes, elle n'éprouvait aucune culpabilité. Dario était un lâche et un misérable, il l'avait montré par deux fois : lorsqu'il s'était armé d'un couteau pour affronter Serafin et lorsqu'il s'était réfugié derrière la pauvre Junipa sans défense. Il avait bien mérité sa gifle ; une bonne correction ne lui aurait pas fait de mal, si cela ne tenait qu'à elle.

Arcimboldo partageait visiblement son point de vue.

– Dario, dit-il, pour te punir de ton comportement honteux et déplacé, tu vas nettoyer tout seul l'atelier. Je ne veux plus voir la moindre tache de peinture demain matin. Compris ?

– Et elle ? grommela Dario avec un geste révolté en direction de Merle.

– Tu as bien compris ? répéta Arcimboldo en fronçant ses sourcils broussailleux qui ressemblaient à deux nuages d'orage.

Dario baissa la tête, mais Merle vit qu'il la fixait à la dérobée avec un regard empli de haine.

– Oui, maître.

– Dario va avoir besoin de beaucoup d'eau. Va chercher dix seaux d'eau à la citerne, Merle, monte-les jusqu'ici et dépose-les dans l'atelier. Ce sera ta punition.

– Mais, maître... s'exclama Dario.

Arcimboldo lui coupa la parole :

– Ton comportement nous a fait honte à tous, Dario. Je sais que tu es emporté et colérique, mais tu es aussi mon meilleur élève, je veux donc tirer un trait sur cette affaire. Pour ce qui est de Merle, elle n'est ici que depuis deux semaines et ignore encore qu'ici, les disputes ne se règlent pas avec les poings, comme vous le faisiez à l'orphelinat. Me suis-je bien fait comprendre ?

Tous deux s'inclinèrent et répondirent en chœur :

– Oui, maître.

– Des objections ?

– Non, maître.

– C'est bien.

D'un signe de la main, il leur fit comprendre qu'ils pouvaient disposer.

En sortant de la bibliothèque, Merle et Dario échangèrent un regard hargneux avant de se consacrer à leurs tâches respectives. Tandis que Dario s'attaquait aux traces bariolées de la bagarre dans l'atelier, Merle descendit dans la cour. Une douzaine de seaux en bois étaient alignés près de l'entrée de derrière. Elle saisit le premier et se dirigea vers la citerne.

D'étranges créatures en pierre étaient taillées dans le muret du puits, des êtres fantastiques aux yeux de chat, aux têtes de méduse et aux queues de reptile. Ils formaient une étrange procession immobile tout autour de la citerne. Le puits était surplombé par une créature mi-homme mi-requin aux coudes retournés ; elle tenait entre les mains une tête d'homme.

Le couvercle en métal était lourd. Merle ne réussit à l'ouvrir qu'à grand-peine. À l'intérieur, le puits était complètement noir. Elle distingua tout au fond une lueur faible et lointaine – le reflet du ciel au-dessus de la cour.

Elle se retourna et leva les yeux vers les hauts murs qui encadraient la cour. Peut-être le puits n'était-il pas si profond, après tout. Les maisons qui encadraient la cour étaient si hautes que leur reflet faisait paraître le puits deux fois plus profond qu'il ne l'était en réalité. Elle aurait sans doute moins de mal à atteindre la surface de l'eau qu'elle ne l'avait pensé au premier coup d'œil. Elle discernait à présent des poignées métalliques qui descendaient à l'intérieur du puits. Que pouvait bien faire Unke dans un endroit pareil ?

Merle accrocha le seau à une longue corde qui se trouvait près de la citerne et le laissa descendre dans le puits. Les raclements du bois contre la paroi en pierre résonnaient à l'intérieur et lui parvenaient déformés. À part Merle, il n'y avait personne dans la cour. Le bruit ricochait sur les façades des maisons environnantes ; on aurait dit qu'un murmure s'échappait des fenêtres béantes. Les voix de tous les êtres qui avaient habité là, il y a peu de temps encore. Des chuchotements d'esprits.

Merle ne pouvait pas voir si le seau avait atteint la surface de l'eau. Le puits était trop sombre. Elle observa que le reflet du ciel se mettait à trembler au fond du puits, comme si le seau était venu troubler la surface de l'eau. Il lui semblait étrange que la corde ne se soit pas détendue dans sa main et que les bruits continuent. Mais si ce n'était pas le seau qui provoquait ce frémissement à la surface de l'eau, de quoi pouvait-il bien s'agir ?

À peine s'était-elle posé la question que quelque chose émergea du fond du puits. Une tête. Elle était trop loin pour distinguer les détails, mais elle vit des yeux sombres levés vers elle.

Effrayée, Merle relâcha la corde et fit un pas en arrière. La corde glissa par-dessus le parapet et s'enfonça dans le puits. Elle aurait complètement disparu avec le seau si une main n'avait surgi pour la rattraper au dernier moment.

Unke.

Merle n'avait pas remarqué l'arrivée de la gouvernante. Celle-ci avait retenu la corde au dernier moment et elle était à présent en train de remonter le seau.

– Merci, bredouilla Merle. Je suis si maladroite.

– Qu'as-tu vu ? demanda Unke sous son masque.

– Rien.

– Ne me mens pas.

Merle hésita. Unke était encore occupée à remonter le seau. Instinctivement, Merle songea à tout laisser tomber et à s'en aller en courant. C'est ce qu'elle aurait fait, il y a quelques semaines encore, lorsqu'elle était à l'orphelinat. Mais quelque chose en elle la dissuadait de battre en retraite. Elle n'avait rien fait de mal.

– Il y avait quelque chose en bas.

– Ah ?

– Un visage.

La gouvernante tira le seau plein d'eau par-dessus le parapet et le posa sur le muret. L'eau coula sur les créatures grimaçantes taillées dans la pierre.

– Un visage. Tu en es bien sûre ?

Unke soupira, puis répondit elle-même :

– Évidemment que tu en es sûre.

– Je l'ai vu.

Merle ne savait pas comment elle devait se comporter. La gouvernante la mettait mal à l'aise, mais elle ne lui faisait pas peur. Elle lui inspirait tout juste une sorte de malaise lorsqu'elle la regardait par-dessus son masque. On aurait dit qu'elle était capable de déchiffrer la moindre des émotions de Merle, ses hésitations les plus infimes.

– Tu as déjà vu d'autres choses, n'est-ce pas ?

Unke s'appuya contre le muret du puits.

– La nuit, par exemple.

Il était vain de nier.

– J'ai entendu le bruit du couvercle. Et je vous ai vue grimper à l'intérieur de la citerne.

– Tu en as parlé à quelqu'un ?

– Non, mentit-elle, pour ne pas mêler Junipa à cette histoire.

Unke se passa la main dans les cheveux et poussa un profond soupir.

– Merle, il faut que je t'explique certaines choses.

– Si vous voulez.

– Tu n'es pas comme les autres apprentis, dit la gouvernante.

Merle eut l'impression qu'un sourire éclairait fugitivement son regard.

– Tu n'es pas comme Dario. Tu es capable de comprendre la vérité.

Merle se rapprocha d'Unke. En tendant le bras, elle aurait pu toucher le masque blanc aux lèvres rouges.

– Vous voulez me confier un secret ?

– Si tu le souhaites.

– Mais vous ne savez rien de moi.

– Je te connais peut-être mieux que tu ne le crois.

Merle ne comprenait pas ce que voulait dire Unke. La gouvernante avait éveillé sa curiosité et Merle se demandait si ce n'était pas précisément ce qu'elle recherchait. Plus elle parviendrait à susciter l'intérêt de Merle, plus l'adolescente serait plongée dans cette histoire et plus Unke pourrait lui faire confiance.

– Viens, dit la gouvernante en se dirigeant vers la porte arrière d'une maison abandonnée.

Elle n'était pas fermée. Unke la poussa et elles pénétrèrent dans un étroit corridor qui ressemblait à l'entrée des serviteurs dans un ancien palais.

Elles passèrent à côté d'une cuisine et d'un garde-manger déserts et atteignirent un petit escalier qui descendait au sous-sol – chose inhabituelle à Venise, où les maisons étaient bâties sur pilotis et ne possédaient que rarement une cave.

Merle se rendit bientôt compte qu'Unke l'emmenait vers un embarcadère souterrain. Elle aperçut un quai et un bras d'eau en demi-cercle qui s'enfonçait de part et d'autre dans un tunnel. L'endroit devait servir autrefois à charger les marchandises sur les bateaux. Il régnait une odeur saumâtre d'algue et de moisissure.

– Pourquoi ne passez-vous pas par ici pour rejoindre l'eau ? demanda Merle

– Que veux-tu dire ?

– Si vous descendez dans le puits, c'est parce que ça vous mène quelque part. Bien sûr, il pourrait y avoir un passage secret à l'intérieur du puits, mais je ne crois pas que ce soit le cas. Pour être franche, je crois que c'est l'eau en elle-même qui vous attire.

Elle fit une courte pause, puis ajouta :

– Vous êtes une sirène, n'est-ce pas ?

Si Unke était surprise, elle ne le montra pas. Merle avait parfaitement conscience de ce qu'elle était en train d'affirmer ; elle savait aussi combien c'était absurde. Unke avait des jambes, des jambes humaines et joliment galbées, contrairement à toutes les sirènes dont les hanches se poursuivaient par une épaisse queue de poisson.

Unke porta les mains à sa nuque et retira délicatement le masque qui lui couvrait la moitié de la face, jour et nuit.

– Tu n'as pas peur de moi, n'est-ce pas ? demanda-t-elle en ouvrant la large gueule qui lui fendait le visage jusqu'aux oreilles.

Elle n'avait pas de lèvres. Lorsqu'elle parlait, sa peau se plissait et découvrait plusieurs rangées de petites dents pointues.

– Non, répliqua Merle.

C'était la vérité.

– Bien.

– Vous allez me le dire ?

– Que veux-tu savoir ?

– Pourquoi ne passez-vous pas par ici lorsque vous retrouvez les autres sirènes la nuit ? Pourquoi prenez-vous le risque que l'on vous voie descendre dans le puits ?

Les yeux d'Unke se plissèrent avec une expression qui aurait pu ressembler à une menace muette chez un être humain, mais qui n'était probablement chez elle qu'un signe de dégoût.

– Parce que l'eau est polluée. Comme tous les canaux de la ville. Elle est empoisonnée et nous tue à petit feu. C'est pour ça que nous sommes si peu nombreuses à venir de notre plein gré à Venise. L'eau des canaux nous tue, lentement, mais irrémédiablement.

– Mais alors, les sirènes attelées aux bateaux...

– Elles vont mourir. Toutes les sirènes capturées par l'homme et gardées en captivité ou utilisées lors de compétitions vont mourir. Le poison qui se trouve dans l'eau va ronger leur peau, puis leur esprit. Même la Reine des eaux ne peut rien pour nous protéger.

Merle se tut, ébranlée. Tous les gens qui possédaient une sirène comme animal domestique étaient donc des meurtriers. Beaucoup ignoraient sans doute les conséquences qu'avait pour les sirènes ce séjour forcé dans les canaux vénitiens.

Toute honteuse, elle regarda Unke dans les yeux. Elle avait du mal à parler.

– Je n'ai encore jamais capturé de sirène, je le jure.

Unke sourit, découvrant de nouveau ses dents acérées.

– Je le sais. Je sens ce genre de choses. Tu as été choisie par la Reine des eaux.

– Moi ?

– Ne t'a-t-on pas sauvée des eaux alors que tu n'étais encore qu'un nourrisson ?

– Vous avez écouté ce que j'ai raconté à Junipa, le premier soir, dans notre chambre !

Cela l'aurait révoltée venant de la part de n'importe qui d'autre ; mais dans le cas d'Unke, l'incident lui semblait sans importance.

– J'ai écouté à la porte, avoua la sirène. Puisque je connais ton secret, je vais te dévoiler le mien. C'est normal. Et de même que je ne parlerai jamais à personne de ton secret, tu garderas le silence sur mon histoire.

Merle acquiesça.

– Pourquoi avez-vous dit que j'ai été choisie par la Reine des eaux ?

– Tu as été abandonnée dans les canaux. Cela arrive à beaucoup d'enfants. Rares sont ceux qui survivent. La plupart se noient. Mais toi, tu as été trouvée. Tu as été portée par le courant. Ce qui signifie que la Reine des eaux a veillé sur toi.

Merle aurait juré qu'Unke avait assisté en personne à la scène, tant elle en parlait d'un ton convaincu. Mais il était logique que les sirènes vénèrent la Reine des eaux comme une déesse. En poursuivant le fil de ses pensées, il lui vint une idée qui la fit tressaillir : et si ce n'étaient pas les êtres humains que la Reine des eaux protégeait dans la lagune ? Après tout, les sirènes étaient des créatures aquatiques. Si l'on en croyait certaines théories, la Reine des eaux *était* elle-même l'eau. Une force insaisissable de la mer.

– Qui est la Reine des eaux ?

Elle n'espérait pas qu'Unke connaisse la réponse à cette question.

– Si quelqu'un l'a jamais su, cela fait longtemps que ce savoir est tombé dans l'oubli, répliqua la sirène à voix basse. De même que toi, moi et la reine elle-même tomberons un jour dans l'oubli.

– Mais la Reine des eaux est vénérée par tous. Tout le monde l'aime à Venise. Elle nous a sauvés. Personne ne l'oubliera jamais.

Unke se contenta de hausser les épaules sans un mot ; mais Merle comprit qu'elle n'était pas de cet avis. La sirène désigna une mince gondole amarrée au quai. On aurait dit qu'elle flottait dans le néant, tant l'eau tout autour était immobile et noire.

– Je dois monter dedans ? demanda Merle.

Unke opina.

– Et ensuite ?

– Je vais te montrer quelque chose.

– Ça va durer longtemps ?

– Une heure au plus.

– Arcimboldo va me punir. Il m'avait chargée de remplir les seaux…

– C'est déjà fait. (Unke sourit.) Il m'a dit ce qu'il avait l'intention de vous infliger comme punition. J'ai préparé dix seaux d'eau dans l'atelier.

Merle n'était toujours pas convaincue.

– Et Dario ?

– Il ne dira rien. Sinon, Arcimboldo apprendra qui vient chaparder son vin pendant la nuit.

– Vous êtes au courant ?

– Je suis au courant de tout ce qui se passe dans cette maison.

Merle n'hésita pas davantage et suivit Unke dans la gondole. La sirène défit les cordes, s'installa à l'arrière du bateau et commença à godiller en direction de l'un des deux tunnels. La gondole fut bientôt plongée dans l'obscurité totale.

– Ne t'inquiète pas, dit Unke. Tu trouveras devant toi un flambeau et de quoi l'allumer.

Merle dénicha le flambeau posé à ses pieds et s'empressa d'allumer l'extrémité en poix. La flamme jaune, vacillante, éclaira la voûte en brique.

– Je peux vous poser une autre question ?

– Tu veux savoir pourquoi j'ai des jambes et pas un *kalimar*.

– Un cali-quoi ?

– Un *kalimar*. C'est le nom qu'on donne aux queues de poisson, dans notre langue.

– Vous allez me le dire ?

La gondole s'enfonça un peu plus dans le tunnel obscur. Des plaques de mousse moisie s'étaient détachées du plafond et pendaient comme des lambeaux de rideaux. L'air sentait les algues croupies et la pourriture.

– C'est une histoire triste, finit par dire Unke. C'est pourquoi je vais la raconter rapidement.

– J'aime les histoires tristes.

– Ça ne m'étonnerait pas que tu deviennes toi-même l'héroïne d'une histoire triste.

La sirène se tourna vers Merle et la contempla.

– Pourquoi dites-vous ça ? demanda Merle.

– Tu as été choisie par la Reine des eaux, répliqua Unke comme si c'était une explication suffisante.

Elle se reprit et regarda à nouveau devant elle. Ses traits étaient sévères.

– Un jour, une sirène fut rejetée par une tempête sur la rive d'une île. Elle était si faible qu'elle resta prise dans les joncs. Le rideau de nuages se déchira, le beau temps revint et la peau de la sirène commença à se dessécher au soleil. Elle vit alors arriver un jeune homme, un fils de marchand que son père avait envoyé négocier avec les quelques pêcheurs de l'île. Ça n'avait rien d'une sinécure. Il avait passé la journée entière chez des familles de pêcheurs peu fortunés qui avaient partagé avec lui leur eau et leur poisson, mais sans rien lui acheter, n'ayant pas d'argent ni rien à offrir en échange. Le fils du marchand s'en retournait donc bredouille vers son bateau, effrayé à l'idée d'affronter son père après cet échec. Il redoutait ses réprimandes – ce n'était pas la première fois qu'il rentrait à Venise sans avoir fait le moindre gain et il avait peur que ça ne lui coûte son héritage. Son père était un homme sévère et sans pitié pour les pauvres gens qui vivaient sur les îles à l'extérieur de la ville. La seule chose qui l'intéressait au monde, c'était l'argent.

« Perdu dans ses pensées, le jeune homme errait le long de la rive pour retarder le moment du retour. En passant devant les roseaux et les hautes herbes, il aperçut la sirène échouée. Il s'agenouilla à côté d'elle, la regarda dans les yeux et tomba amoureux d'elle sur-le-champ. Il ne fit attention ni à la queue d'écailles qui partait de ses hanches, ni à ses dents qui auraient effrayé n'importe qui d'autre. Il ne vit que ce regard implorant tourné vers lui et sa décision fut prise : voilà la femme qu'il allait épouser et aimer jusqu'à la fin de sa vie. Il la ramena dans l'eau et, tandis qu'elle reprenait des forces au milieu des vagues, il lui fit part de ses sentiments. Plus elle l'écoutait parler, plus il lui plaisait. Son intérêt se transforma bientôt en inclination, puis en sentiments plus forts. Ils se jurèrent de se revoir. Le lendemain, ils se retrouvèrent sur la rive d'une autre île et ainsi de suite, jour après jour.

« Au bout de quelques semaines, le jeune homme prit son courage à deux mains et lui demanda si elle voulait l'accompagner lorsqu'il rentrerait en ville. Mais sachant ce qui arrivait aux sirènes qui s'aventuraient à Venise, elle refusa. Il lui promit de l'épouser pour qu'elle puisse vivre à ses côtés comme n'importe quelle autre femme. “Regarde-moi, lui dit-elle, je ne serai jamais comme les autres femmes.” Cela les plongea tous deux dans une grande tristesse, et le jeune homme se rendit compte que ses projets ne seraient jamais que de doux rêves.

« La nuit suivante, la sirène se rappela l'existence d'une sorcière des mers qui, selon ce qu'on racontait d'elle, possédait de très grands pouvoirs et vivait dans une grotte sous-marine de l'Adriatique, très loin de là. Elle se mit donc en route et nagea plus loin qu'aucune sirène de son entourage n'était jamais allée. Elle finit par découvrir la sorcière assise sur une falaise tout au fond de la mer, à l'affût de cadavres de noyés. Il faut savoir que les sorcières des mers adorent la chair morte, surtout lorsqu'elle est vieille et gorgée d'eau. En venant, la jeune sirène était passée à côté d'un bateau de pêcheurs naufragés et elle put ainsi apporter à la sorcière un butin particulièrement savoureux. Cela mit la vieille femme dans de bonnes dispositions. Elle écouta le récit de la jeune sirène et, sans doute encore sous le charme de la chair morte, elle décida de l'aider. Elle jeta un sort et ordonna à la sirène de retourner dans la lagune, de se coucher sur un rivage de la ville et de dormir jusqu'au lever du jour. En se réveillant, lui promit la sorcière, sa queue de poisson se serait transformée en jambes. "Il n'y a que la bouche, ajouta-t-elle, je ne peux la changer sans te rendre à jamais muette."

« La jeune sirène ne s'inquiétait pas pour sa bouche puisque le fils du marchand était tombé amoureux de son visage tout entier. Elle fit donc ce que lui avait dit la sorcière.

« Le lendemain, on la découvrit près d'un embarcadère. En effet, elle avait désormais des jambes à la place de sa queue de poisson. Mais les hommes qui la trouvèrent firent le signe de croix, la qualifièrent de créature du diable et se mirent à la frapper – ils avaient reconnu à sa bouche qu'elle n'était pas humaine. Ils étaient convaincus que les sirènes avaient trouvé un moyen de se transformer en êtres humains et craignaient qu'elles n'envahissent la ville et ne tuent tous les hommes pour s'emparer de leurs richesses.

« Quelle folie ! Comme si les sirènes s'étaient jamais intéressées aux richesses des hommes !

« Tandis qu'on la rouait de coups et qu'on la piétinait, la sirène ne cessait de prononcer le nom de son amant. On décida donc de le faire venir. Il accourut en compagnie de son père, qui soupçonnait un complot à l'encontre de lui-même et de sa maison. Une confrontation fut organisée entre la sirène et le jeune homme. Ils se regardèrent longuement dans les yeux. Le jeune homme pleura et la sirène versa aussi quelques larmes qui se mêlèrent au sang qui coulait sur ses joues. Puis son amant se détourna d'elle, car il était faible et redoutait la colère de son père. "Je ne la connais pas, déclara-t-il. Je n'ai rien à voir avec cette créature monstrueuse."

« La sirène se tut et ne prononça plus une parole, pas même lorsque les coups de ses agresseurs redoublèrent de violence. Elle resta muette quand le marchand lui-même et son fils lui donnèrent des coups de botte au visage et dans les côtes. Ensuite, on la rejeta à l'eau comme un poisson mort. Tout le monde pensait qu'elle était morte.

Unke se tut et resta un moment sans bouger, la rame immobile au-dessus de la surface de l'eau. Ses joues brillaient à la lueur du flambeau et une unique larme coula sur son visage. Ce n'était pas l'histoire d'une sirène quelconque mais son histoire qu'elle venait de raconter.

– C'est un enfant qui l'a trouvée, un orphelin qui travaillait dans un atelier de miroiterie. Il s'est occupé d'elle, l'a cachée, lui a donné à manger et à boire et lui a redonné du courage chaque fois qu'elle voulait mettre fin à ses jours. Ce jeune garçon, c'était Arcimboldo. La sirène s'est juré de le suivre jusqu'à la fin de ses jours en guise de remerciement. Les sirènes vivent beaucoup plus vieilles que les hommes ; c'est pourquoi l'apprenti en question est aujourd'hui un vieil homme et la sirène est encore jeune. Elle sera encore jeune lorsqu'il mourra et elle se retrouvera alors toute seule, seule entre deux mondes, ni sirène ni femme.

Lorsque Merle leva les yeux vers elle, elle vit que la larme avait séché sur la joue d'Unke. On aurait dit qu'elle racontait à nouveau l'histoire de quelqu'un d'autre, un destin très loin d'elle et sans importance. Merle avait envie de se lever et de la prendre dans les bras, mais elle savait que ce n'était pas ce que voulait Unke.

– Ce n'est qu'une histoire, murmura la sirène. Aussi vraie et aussi fausse que toutes les autres histoires que nous aurions préféré ne jamais entendre.

– Je suis heureuse que vous me l'ayez racontée.

Unke acquiesça imperceptiblement, puis leva les yeux et regarda par-dessus la tête de Merle.

– Regarde, dit-elle, nous sommes presque arrivées.

La lueur du flambeau s'atténua autour d'elles, bien que la flamme continuât de brûler. Merle mit quelque temps à se rendre compte qu'elles étaient sorties du tunnel. La gondole glissait à présent dans une sorte de caverne souterraine, sans un bruit.

Devant elles, une rampe en pente se découpait dans l'obscurité. Quelque chose recouvrait la cale à l'endroit où elle émergeait de l'eau, mais Merle ne voyait pas de quoi il s'agissait, d'où elle était. Des plantes, peut-être. Mais comment des plantes de cette taille pouvaient-elles pousser dans un endroit pareil ?

Alors qu'elles traversaient le lac obscur, elle crut voir des mouvements dans l'eau. Elle tenta de se persuader que c'étaient des poissons. De très gros poissons.

– Il n'y a aucune montagne à perte de vue, pensa-t-elle tout haut. Comment peut-il y avoir une caverne au beau milieu de Venise ?

Elle savait qu'elles ne se trouvaient pas sous le niveau de la mer. Cette caverne était située en ville, au milieu des somptueux palais aux élégantes façades – et elle avait été aménagée de manière artificielle.

– Qui a construit cet endroit ? demanda-t-elle.

– Un ami des sirènes, répondit Unke sur un ton signifiant qu'elle ne voulait pas en dire davantage à ce sujet.

Un endroit pareil en plein cœur de la ville ! S'il ne se trouvait pas sous terre, il devait donner sur l'extérieur. De quoi pouvait-il bien avoir l'air ? Du palais en ruine d'une famille noble, oubliée depuis longtemps de tous ? D'un immense complexe d'entrepôts ? Il n'y avait aucune fenêtre pour la renseigner sur l'apparence extérieure du lieu et Merle ne distinguait dans la pénombre ni le plafond, ni les murs. Elle ne voyait que cette étrange cale qui se rapprochait de plus en plus.

Merle comprit alors que ses doutes initiaux étaient fondés. Ce n'étaient pas des plantes qui poussaient le long de la rampe. Cet entrelacs n'avait rien de végétal.

Elle eut le souffle coupé en voyant de quoi il s'agissait.

C'étaient des ossements. Les ossements de centaines de sirènes. Empilés, emmêlés, coincés, enchevêtrés, unis par la mort. Le cœur battant, elle constata que les sirènes avaient une cage thoracique semblable à celle des humains, tandis que leur queue de poisson ressemblait à une gigantesque arête. La vision était aussi absurde que bouleversante.

– Elles sont venues mourir ici ?

– Volontairement, dit Unke en manœuvrant la gondole vers la gauche afin que le monticule d'ossements se trouve à tribord.

Le flambeau jetait des ombres mouvantes et frissonnantes sur les os immobiles, comme des pattes d'araignée qui se seraient détachées des corps et se seraient mises à courir dans tous les sens.

– Le cimetière des sirènes ! murmura Merle.

Tout le monde connaissait cette légende ancienne. On supposait qu'il se trouvait très loin de la ville, à l'extérieur de la lagune ou en haute mer. Les chercheurs de trésors et les aventuriers étaient partis à sa recherche, car les os de sirène étaient plus précieux que l'ivoire et constituaient dans l'ancien temps des armes redoutées pour les combats d'homme à homme. Il était difficile de croire que le cimetière s'était trouvé pendant tout ce temps dans la ville, quasiment aux yeux de tous. Et surtout qu'un être humain ait aidé à le construire. Pourquoi avait-il fait une chose pareille ? Qui était-il ?

– Je voulais que tu voies cet endroit.

Unke s'inclina légèrement. Merle ne comprit pas tout de suite que ce geste lui était destiné.

– Secret contre secret. Jusqu'à la fin des temps. C'est le serment des élus.

– Je dois prêter serment ?

Unke acquiesça. Merle ne savait pas trop comment faire. Elle leva la main et dit solennellement :

– Je jure sur ma vie que jamais je ne parlerai à personne du cimetière des sirènes.

– Prête serment en tant qu'élue, lui intima Unke.

– Moi, Merle, qui ai été élue par la Reine des eaux, je prête ce serment.

Unke parut satisfaite et Merle poussa un soupir de soulagement.

La coque de la gondole heurta quelque chose qui se trouvait sous la surface de l'eau.

– Ce sont des os, expliqua Unke. Il y en a des milliers.

Elle fit demi-tour et repartit vers la sortie.

– Unke ?

– Oui ?

– Tu crois vraiment que je suis quelqu'un d'exceptionnel, hein ?

La sirène eut un sourire mystérieux.

– Tu l'es, assurément. Quelqu'un de tout à fait exceptionnel.

Plus tard, allongée sur son lit dans le noir, Merle plongea la main dans le miroir qui se trouvait sous la couverture et savoura cette chaleur amie. Elle essaya de passer la main de l'autre côté et sentit aussitôt quelque chose de doux et de familier qui lui touchait les doigts. Elle soupira d'aise et sombra dans un demi-sommeil agité.

L'étoile du berger brillait dans l'encadrement de la fenêtre et se reflétait dans les yeux en miroir grands ouverts de Junipa, qui fixaient l'obscurité.

Chapitre 4

La trahison

– Tu as déjà regardé dedans ? lui demanda Junipa au réveil, alors que les coups de gong d'Unke venaient de résonner dans le couloir.

Merle frotta de l'index ses yeux encore ensommeillés.

– Regardé où ?

– Dans ton miroir.

– Bien sûr. Tout le temps.

Junipa se redressa souplement, s'assit sur le bord du lit et regarda Merle. Le soleil levant au-dessus des toits se réfléchissait dans les fragments de miroir et leur donnait une teinte dorée.

– Pas simplement pour se regarder dedans.

– Tu veux savoir si j'ai déjà regardé ce qu'il y avait sous la surface de l'eau ?

Junipa acquiesça.

– Tu l'as fait ?

– Deux ou trois fois, dit Merle. J'ai enfoncé mon visage à l'intérieur, aussi loin que je pouvais. Le cadre est assez étroit, mais j'ai réussi à mettre les yeux dans l'eau.

– Et alors ?

– Rien. C'est juste noir.
– Tu n'as rien vu ?
– Je viens de te le dire.
Junipa se passa les doigts dans les cheveux d'un air songeur.
– Si tu veux, je peux essayer.
Merle, qui s'apprêtait à bâiller, en referma la bouche de surprise.
– Toi ?
– Avec mes yeux, je vois aussi dans le noir.
Merle haussa les sourcils.
– Tu ne me l'as jamais dit.
Elle se remémora rapidement ce qu'elle avait fait au cours des dernières nuits en présence de Junipa.
– Seulement depuis trois jours. Je vois chaque nuit un peu mieux. Comme s'il faisait jour. Parfois, lorsque la lumière passe à travers mes paupières, ça m'empêche de dormir. Tout devient rouge, comme quand on regarde le soleil les yeux fermés.
– Tu devrais en parler à Arcimboldo.
Junipa prit un air désolé.
– Et s'il me retire les miroirs ?
– Il ne ferait jamais une chose pareille.
Perplexe, Merle essaya d'imaginer quel effet cela pouvait bien faire de voir clair de jour comme de nuit. Et si cela allait en empirant ? Junipa réussirait-elle encore à dormir ?
– Alors, déclara Junipa pour changer de sujet, qu'en penses-tu ? Veux-tu que j'essaie ?
Merle extirpa le miroir de sa couverture, le soupesa un moment, puis haussa les épaules.
– Pourquoi pas ?
Junipa vint à côté d'elle sur son lit. Elles étaient assises toutes les deux en tailleur et se faisaient face. Leurs chemises

de nuit étaient tendues sur leurs genoux et elles avaient encore les cheveux tout emmêlés par le sommeil.

– Laisse-moi d'abord essayer, dit Merle.

Junipa regarda Merle approcher le miroir tout près de ses yeux. Prudemment, elle y plongea le bout du nez, puis le reste du visage – aussi loin qu'elle le pouvait. Ses pommettes heurtèrent le cadre. Impossible d'avancer davantage.

Une fois sous l'eau, Merle ouvrit les yeux. Elle savait à quoi s'attendre et ne fut donc pas déçue. Tout était comme d'habitude. Totalement obscur.

Elle écarta le miroir de son visage. L'eau resta à l'intérieur, il n'y avait pas la moindre trace d'humidité sur sa peau.

– Alors ? demanda Junipa, tout excitée.

– Rien.

Merle lui tendit le miroir.

– Comme d'habitude.

Junipa prit le miroir dans sa main menue. Elle regarda son reflet et étudia en détail ses nouveaux yeux.

– Tu les trouves beaux ? demanda-t-elle abruptement.

Merle hésita.

– Inhabituels.

– Ce n'est pas ce que je t'ai demandé.

– Excuse-moi.

Merle aurait préféré que Junipa ne l'oblige pas à lui dire la vérité.

– Parfois, quand je te regarde, j'en ai la chair de poule. Ce n'est pas que tes yeux soient laids, s'empressa-t-elle d'ajouter, ils sont seulement… si…

– Ils sont froids, dit Junipa d'une voix songeuse. Il m'arrive de grelotter, même quand le soleil brille.

Le jour au milieu de la nuit, le froid en plein soleil.

– Tu veux vraiment le faire ? demanda Merle.

– Au fond, je ne le veux pas, je sais déjà ce qui s'y trouve, dit Junipa. Mais je peux le faire pour toi, si tu veux.

Elle regarda Merle.

– Ou bien préfères-tu ne pas savoir ce qu'il y a derrière et d'où vient la main ?

Merle hocha simplement la tête.

Junipa leva le miroir et y plongea le visage. Sa tête était plus petite que celle de Merle – tout en elle était plus mince, plus fin, plus fragile – et elle s'enfonça dans l'eau presque jusqu'aux tempes.

Merle attendit. Elle observait le corps maigre de Junipa sous sa chemise de nuit beaucoup trop large, ses épaules qui se soulevaient sous le tissu, ses clavicules qui pointaient sur le bord de son décolleté, si saillantes qu'on aurait dit qu'elles étaient sur la peau et non en dessous.

Cela lui semblait étrange, presque un peu fou de regarder pour la première fois quelqu'un manipuler le miroir. Les choses les plus absurdes paraissent tout à fait normales quand on les fait soi-même ; quand il s'agit de quelqu'un d'autre, on fronce généralement les sourcils et on détourne pudiquement le regard.

Mais Merle continua à observer Junipa. Elle se demandait ce que Junipa pouvait bien voir au même moment.

Enfin, n'y tenant plus, elle demanda :

– Junipa ? Tu m'entends ?

Bien sûr qu'elle l'entendait. Ses oreilles étaient au-dessus de la surface de l'eau. Malgré tout, elle ne répondit pas.

– Junipa ?

Merle commençait à s'inquiéter. Des visions lui venaient peu à peu à l'esprit, des images de bêtes en train de ronger le visage de son amie de l'autre côté du miroir ; quand elle parviendrait à dégager sa tête, il ne lui resterait qu'une carcasse vide faite d'os et de cheveux, comme les casques des tribus découvertes par le professeur Burbridge lors de son expédition en Enfer.

– Junipa ? redit-elle, un peu plus fort cette fois.

Elle attrapa la main de son amie. Sa peau était chaude. Elle sentait battre son pouls.

Junipa revint enfin à la surface. On aurait vraiment dit qu'elle « revenait » de quelque part : elle avait l'expression d'une personne qui a fait un très long voyage, dans des pays lointains et inimaginables, situés de l'autre côté du globe ou dans son imagination.

– Qu'y avait-il de l'autre côté ? demanda Merle anxieusement. Qu'as-tu vu ?

Elle aurait donné beaucoup pour que Junipa ait à cet instant des yeux humains. Des yeux dans lesquels elle puisse lire quelque chose. Peut-être des choses qu'elle n'avait pas envie de savoir ; en tout cas, la vérité.

Mais les yeux de Junipa restaient polis, durs, sans la moindre expression.

« Peut-elle encore pleurer ? » se demanda Merle brusquement. La question lui parut subitement plus importante que tout le reste.

Junipa ne pleurait pas. Seuls les coins de ses lèvres tressaillaient. Mais elle ne donnait pas l'impression de vouloir sourire.

Merle se pencha, lui prit le miroir des mains, le posa sur la couverture et l'attrapa doucement par les épaules.

– Qu'y a-t-il dans le miroir ?

Junipa se tut un moment, puis regarda Merle de ses yeux argentés.

– Tout est si sombre.

« Ça, je le sais déjà », s'apprêta à dire Merle. Mais elle se rendit compte alors que Junipa ne devait pas utiliser le mot dans le même sens.

– Raconte, supplia-t-elle.

Junipa secoua la tête.

– Non. Ne m'oblige pas à te raconter.

– Quoi ? s'exclama Merle.

Junipa la repoussa doucement et se leva.

– Ne me demande jamais ce que j'ai vu, fit-elle d'une voix atone. Jamais.

– Mais Junipa...

– S'il te plaît.

– Ça ne peut pas être si grave ! s'écria Merle dans un accès de révolte et de désespoir. J'ai senti la main. La main, Junipa !

Un nuage passa devant le soleil matinal et les yeux en miroir de Junipa s'obscurcirent.

– N'insiste pas, Merle. Oublie la main. Le mieux serait que tu oublies le miroir.

Sur ces mots, elle se tourna, ouvrit la porte et sortit dans le corridor.

Merle resta assise sur le lit, pétrifiée, incapable de réfléchir calmement. Elle entendit une porte claquer et se sentit soudain très seule.

Ce jour-là, Arcimboldo envoya ses deux apprenties chasser les esprits aux miroirs.

– Je vais vous montrer aujourd'hui quelque chose d'exceptionnel, leur annonça-t-il au cours de l'après-midi.

Merle vit du coin de l'œil que Dario et les deux autres garçons les regardaient en ricanant.

Le miroitier désigna la porte qui menait à l'entrepôt derrière l'atelier.

– Vous n'avez encore jamais pénétré dans cette pièce, dit-il. Pour une bonne raison.

Merle supposait qu'il craignait d'abîmer ses miroirs magiques entreposés dans la pièce.

– La manipulation de mes miroirs n'est pas sans risques.

Arcimboldo s'appuya des deux mains sur un banc dans son dos.

– Il faut de temps à autre les nettoyer de… (Il eut un temps d'hésitation.)… de certains éléments.

Les trois garçons ricanèrent à nouveau. Merle commençait à s'énerver. Elle détestait que Dario en sache plus qu'elle.

– Dario et les autres vont rester à l'atelier, dit Arcimboldo. Junipa et Merle, venez avec moi.

Il pivota sur les talons et se dirigea vers la porte de l'entrepôt. Merle et Junipa se regardèrent, puis le suivirent.

– Bonne chance, dit Boro.

Sa voix était sincère.

– Bonne chance, dit Dario en le singeant, avant d'ajouter tout bas quelque chose que Merle ne comprit pas.

Arcimboldo fit entrer les deux adolescentes et referma la porte derrière elles.

– Bienvenue au cœur de ma maison, fit-il.

La vue qui s'offrait à elles justifiait ce ton solennel.

Il était difficile d'estimer la taille de la pièce. Les murs étaient entièrement couverts de glaces ; des miroirs étaient également alignés au centre de la pièce, posés les uns sur les autres comme des dominos sur le point de s'écrouler. Le toit vitré laissait passer la lumière du jour – l'atelier se situait dans une annexe, beaucoup moins haute que le reste de la maison.

Les miroirs étaient fixés par des traverses et des chaînes ancrées aux murs. Ils ne risquaient pas de tomber, à moins qu'un tremblement de terre ne vienne ébranler tout Venise ou que l'Enfer ne s'ouvre dans les profondeurs de la ville – comme cela s'était produit, paraît-il, à Marrakech, une ville au nord de l'Afrique. Mais cela remontait à plus de trente ans, juste après le début de la guerre. Aujourd'hui, plus personne ne parlait de Marrakech. La ville avait disparu des cartes et des esprits.

– Combien de miroirs y a-t-il en tout ? demanda Junipa.

Il était impossible d'estimer leur nombre, et à plus forte raison de les compter un à un. Leurs surfaces se reflétaient les unes dans les autres, s'additionnaient et se multipliaient mutuellement. Face à ce spectacle, Merle se demanda tout à coup si un miroir qui n'existe que dans le reflet d'un autre miroir n'est pas aussi réel que l'original. Il remplit tout aussi bien sa fonction – à savoir réfléchir les objets. Merle ne connaissait aucun autre objet qui soit capable de faire ainsi quelque chose sans l'être réellement.

Pour la première fois, elle se demanda si tous les miroirs n'étaient pas au fond des miroirs magiques.

« Les miroirs voient », avait dit Arcimboldo. Elle le croyait désormais sur parole.

– Vous allez faire la connaissance d'importuns d'un genre bien particulier, déclara-t-il. Mes amis, les esprits aux miroirs.

– Qui sont ces… ces esprits aux miroirs ?

Junipa avait prononcé la question à voix basse, presque timidement, comme si les reflets de ce qu'elle avait vu dans le miroir de Merle continuaient leur danse menaçante sous ses yeux.

Arcimboldo vint se poster devant le premier miroir de la rangée centrale. Il lui arrivait presque jusqu'au menton. Son cadre était en bois, comme tous ceux fabriqués dans son atelier. Les cadres n'avaient aucune fonction décorative et évitaient simplement de se couper les doigts en transportant les miroirs.

– Regardez bien, leur ordonna-t-il.

Les adolescentes s'approchèrent et fixèrent le miroir. Junipa fut la première à réagir.

– Il y a quelque chose à l'intérieur.

On aurait dit des bribes de brouillard fantomatiques qui passaient à la vitesse de l'éclair à la surface du miroir. Cela ne faisait pas de doute : ces silhouettes évanescentes se trouvaient *dans* le miroir.

– Ce sont les esprits aux miroirs, dit Arcimboldo d'une voix posée. De fichus parasites qui viennent de temps en temps se nicher dans mes miroirs. Le travail des apprentis consiste à les attraper.

– Et comment fait-on ? s'enquit Merle.

– Vous allez entrer dans les miroirs et chasser les esprits avec un petit instrument que je vous aurai remis. (Il éclata de rire.) Bonté divine, ne prenez pas un air aussi effrayé ! Dario et les autres l'ont déjà fait je ne sais combien de fois. Ça peut paraître inhabituel, mais ce n'est pas difficile, dans le fond. Juste fastidieux. C'est pourquoi ce sont les apprentis qui s'y collent, tandis que votre vieux maître pose les pieds sur la table, savoure une bonne pipe et se la coule douce.

Merle et Junipa échangèrent un regard. Elles étaient toutes les deux décontenancées, mais bien décidées à s'acquitter de cette tâche dignement. Si Dario l'avait fait, il n'y avait pas de raison qu'elles n'y arrivent pas.

Arcimboldo sortit quelque chose de la poche de sa blouse. Il saisit l'objet entre le pouce et l'index et le brandit sous le nez de ses deux apprenties. Une boule de verre transparente, pas plus grosse que le poing de Merle.

– On dirait une vulgaire boule de verre, n'est-ce pas ?

Arcimboldo sourit et Merle remarqua qu'il lui manquait une dent.

– Mais c'est la meilleure arme qui soit pour se débarrasser des esprits aux miroirs. Malheureusement, c'est aussi la seule.

Il se tut un instant. Personne ne posa de question. Merle était persuadée qu'Arcimboldo allait poursuivre ses explications.

Après une courte pause, qui leur donna l'occasion d'examiner de plus près la boule de verre, il précisa :

– C'est un souffleur de verre de Murano qui fabrique ces fascinantes petites choses selon des plans que je lui ai remis.

« Des plans ? s'étonna Merle. Pour fabriquer une simple boule de verre ? »

– Quand vous vous retrouverez face à face avec un esprit, il vous suffira de prononcer un mot et l'esprit sera fait prisonnier à l'intérieur de la boule, expliqua Arcimboldo. Ce mot, c'est *intorabiliuspeteris*. Rappelez-vous bien ce mot comme si c'était votre propre nom. *Intorabiliuspeteris*.

Les adolescentes répétèrent plusieurs fois l'étrange mot. Après quelques hésitations et erreurs initiales, elles furent certaines de l'avoir bien mémorisé.

Le maître tira de sa poche une deuxième boule, en remit une à chaque adolescente et leur fit signe de s'approcher du miroir.

– Plusieurs miroirs sont atteints, mais pour aujourd'hui, nous nous contenterons d'un seul.

Il fit une sorte de révérence en direction du miroir et prononça un mot dans une langue étrange.

– Allez-y, leur dit-il ensuite.

– On entre juste comme ça ? demanda Merle.
Arcimboldo rit.
– Bien sûr. Ou bien voulez-vous y entrer à cheval ?
Le regard de Merle balaya la surface du miroir. Elle paraissait lisse et solide, moins souple que celle de son miroir. À cette pensée, elle jeta un coup d'œil furtif en direction de Junipa. Quoi qu'elle ait vu ce matin, cela lui avait fait forte impression. Elle semblait avoir peur d'obéir aux instructions d'Arcimboldo. Merle fut tentée un instant de tout raconter au maître et de lui demander si elle pouvait le faire seule, tandis que Junipa resterait ici.

Mais au même moment, Junipa fit le premier pas et tendit la main. Ses doigts traversèrent la surface du miroir comme s'il s'agissait d'une peau de lait bouilli. Elle regarda rapidement Merle par-dessus son épaule, eut un sourire crispé et entra dans le miroir. On distinguait encore sa silhouette, mais elle paraissait plate et irréelle, comme le personnage d'un tableau. Elle fit signe à Merle.
– C'est une fille courageuse, marmonna Arcimboldo d'un air satisfait.

Merle franchit d'un pas la frontière du miroir. Elle ressentit un picotement froid, comme un souffle de vent au milieu de la nuit. Une fois arrivée de l'autre côté, elle regarda autour d'elle.

Elle avait déjà entendu parler d'un labyrinthe de miroirs censé se trouver dans un palais de la Campo Santa Maria Nova. Elle ne connaissait personne qui l'ait vu de ses propres yeux, mais le spectacle qui s'étendait devant elle dépassait en tout point l'idée qu'elle s'était faite de ce labyrinthe.

Une chose était sûre : le monde des miroirs était un monde d'illusions. Comme le double-fond du chapeau de magicien, la caverne des voleurs des *Mille et Une*

Nuits, le palais des dieux sur l'Olympe. Un monde artificiel, un trompe-l'œil, un rêve réservé à ceux qui y croient. Et pourtant, sur l'instant, ce monde semblait à Merle aussi tangible qu'elle-même. Les personnages des tableaux croient-ils eux aussi qu'ils se trouvent en un lieu réel, tels des prisonniers qui n'ont pas conscience de leur captivité ?

Une salle de miroirs s'étendait devant elle. Pas un entrepôt à miroirs, comme celui d'Arcimboldo, mais une construction entièrement faite de miroirs, de bas en haut, de gauche à droite. Dès qu'elle faisait un pas en avant, elle se heurtait à un mur en verre invisible. Ce qui paraissait être l'extrémité de la salle n'était que du vide, suivi de nouveaux miroirs, de passages secrets et d'autres illusions.

Merle mit un certain temps à comprendre ce qu'il y avait de si troublant en ce lieu : les miroirs se reflétaient les uns les autres, mais les deux adolescentes debout au milieu de la pièce n'y apparaissaient nulle part. C'est aussi pour cette raison qu'elle se heurtait sans cesse dans les miroirs – elle ne pouvait pas se guider à son propre reflet. Ce phénomène se reproduisait de toutes parts, à l'infini. Un monde d'argent et de cristal.

Merle et Junipa tentèrent à plusieurs reprises de s'enfoncer davantage dans le labyrinthe, mais elles se cognaient sans cesse à des parois en verre.

– Nous perdons notre temps ! s'exclama Merle en tapant du pied dans un mouvement de colère.

Le miroir crissa sous sa semelle, sans se briser.

– Ils sont là, ils nous entourent, chuchota Junipa.

– Les esprits ?

Junipa acquiesça.

Merle regarda autour d'elle.

– Je ne vois rien.

– Ils ont peur. De mes yeux. Ils battent en retraite en nous voyant.

Merle se retourna. Une sorte de portail se dressait à l'endroit par où elles étaient entrées. Elle crut déceler un mouvement, mais ce n'était sans doute qu'Arcimboldo qui les attendait dans le monde réel.

Quelque chose lui effleura le visage. Un frôlement blême. Deux bras, deux jambes, une tête. De près, cela ne ressemblait pas à une nappe de brouillard, mais plutôt au flou provoqué par une goutte d'eau dans l'œil.

Merle souleva la boule en verre. Elle se sentait un peu idiote.

– *Intorabiliuspeteris !* s'exclama-t-elle.

Tout cela lui semblait de plus en plus absurde.

Elle entendit un léger soupir, puis l'esprit fut aspiré par la boule qu'elle tenait à la main. L'intérieur de la boule se mit à scintiller et à tourbillonner, comme si elle était remplie d'un liquide blanc et huileux.

– Ça marche ! s'écria Merle.

Junipa opina, mais elle ne paraissait pas décidée pour autant à utiliser sa propre boule.

– Ils ont peur, maintenant.

– Tu les vois vraiment tout autour de nous ?

– Très distinctement.

Cela devait tenir aux yeux de Junipa, à la magie des éclats de miroir. Merle percevait elle aussi à présent des mouvements flous à la limite de son champ de vision, mais elle était loin de distinguer les esprits aussi clairement que Junipa.

– S'ils ont peur, ça veut dire que ce sont des êtres vivants, pensa-t-elle à voix haute.

– Oui, dit Junipa. Mais on dirait qu'ils ne sont pas vraiment ici. Comme si ce n'était qu'une part d'eux-mêmes, des ombres perdues.

– Peut-être est-ce une bonne chose que nous les sortions d'ici. S'ils sont prisonniers.

– Tu crois qu'ils ne le seront plus, dans la boule de verre ?

Junipa avait bien sûr raison. Mais Merle était pressée de retourner dans le monde réel, loin de ces dédales de verre. Arcimboldo leur avait donné comme tâche d'attraper tous les esprits ; si elles ressortaient sans avoir accompli leur travail, elle craignait qu'il ne les renvoie sur-le-champ à l'intérieur du miroir.

Elle décida de ne pas se préoccuper plus longtemps de ce que faisait Junipa. Elle tendit la boule devant elle et la brandit dans diverses directions en répétant le mot magique :

– *Intorabiliuspeteris... Intorabiliuspeteris... Intorabiliuspeteris !*

Les sifflements s'amplifièrent et la boule se remplit d'une tempête de brume. On aurait dit que le verre s'embuait de l'intérieur. Un jour, à l'orphelinat, un des surveillants avait soufflé la fumée de son cigare dans un verre à vin et le résultat était identique : les volutes tournaient à l'intérieur du verre comme un être vivant tentant de s'échapper de cette prison.

Quelles pouvaient bien être ces créatures qui envahissaient les miroirs d'Arcimboldo comme des pucerons s'attaquent à un rang de légumes ? Merle aurait bien aimé en savoir plus à leur sujet.

Junipa serrait la boule de verre tellement fort qu'un craquement retentit tout à coup et le verre se brisa dans son poing. Le sol en miroir se couvrit de minuscules éclats et de gouttes de sang sombre provenant de ses coupures à la main.

– Junipa !

Merle fourra la boule dans sa poche, bondit aux côtés de Junipa et examina anxieusement ses doigts.

– Oh, Junipa…

Elle ôta sa veste et la noua autour de l'avant-bras de son amie. Cela découvrit du même coup le bord supérieur du miroir qu'elle gardait dans la poche de sa robe.

L'un des esprits se mit à décrire une spirale étroite autour de son buste et finit par s'engouffrer dans le miroir d'eau.

– Oh non, sanglota Junipa. Tout est ma faute.

Mais pour l'heure, Merle se souciait davantage de Junipa que de son miroir.

– De toute manière, je crois que nous les avions tous attrapés, affirma-t-elle.

Elle ne pouvait détacher le regard des gouttes de sang qui couvraient le sol. Son visage se reflétait dans les gouttes, comme si le sang levait vers elle de minuscules yeux.

– Partons d'ici.

Junipa la retint.

– Vas-tu raconter à Arcimboldo que l'un des esprits est entré dans ton miroir et… ?

– Non, l'interrompit Merle. Il me le prendrait.

Junipa acquiesça d'un air choqué et Merle posa le bras sur son épaule pour la consoler.

– Ne t'inquiète pas pour ça.

Elle poussa doucement Junipa en direction du portail dont le contour rectangulaire se découpait juste à côté d'elles. Elles ressortirent du miroir étroitement enlacées et se retrouvèrent dans l'entrepôt.

– Que s'est-il passé ? demanda Arcimboldo en apercevant le bandage autour de la main de Junipa.

Il se précipita vers elle, découvrit ses blessures et courut vers la porte.

– Unke ! cria-t-il dans l'atelier. Apporte des pansements ! Vite !

Merle examina elle aussi les coupures. Heureusement, elles ne semblaient pas bien graves. La plupart n'étaient pas profondes et de minces croûtes se formaient déjà à la surface des égratignures.

Junipa montra les taches de sang sur la veste de Merle roulée en boule.

– Je vais la laver.

– Unke va s'en charger, intervint Arcimboldo. Dites-moi plutôt comment c'est arrivé !

Merle raconta en quelques mots ce qui s'était passé. Elle évita simplement de mentionner l'épisode où l'esprit s'était réfugié dans son miroir.

– J'ai attrapé tous les esprits, dit-elle en sortant la boule de sa poche.

Les volutes claires tournoyaient de plus en plus rapidement à l'intérieur.

Arcimboldo s'empara de la boule et la tint dans la lumière. Ce qu'il vit parut lui plaire, car il acquiesça d'un air satisfait.

– Vous vous en êtes bien tirées, félicita-t-il les deux adolescentes, sans un mot au sujet de la boule cassée. À présent, allez vous reposer, leur conseilla-t-il tandis qu'Unke pansait les plaies de Junipa.

Puis il fit signe à Dario, Boro et Tiziano qui les épiaient à travers la porte de l'entrepôt :

– Vous trois, vous allez vous charger du reste.

Au moment de quitter l'atelier, Merle se retourna vers Arcimboldo.

– Que va-t-il leur arriver, maintenant ? demanda-t-elle en désignant la boule que le maître tenait entre ses mains.

– Nous les jetons dans le canal, expliqua-t-il avec un haussement d'épaules. Ils iront se nicher dans les reflets à la surface de l'eau.

Merle acquiesça comme si c'était la chose la plus normale du monde, puis elle ramena Junipa dans leur chambre.

La nouvelle se répandit comme une traînée de poudre dans tout l'atelier. Il allait y avoir une fête ! Demain, cela ferait trente-six ans exactement que les armées égyptiennes étaient arrivées au bord de la lagune avec leurs bateaux à vapeur et leurs galères, et que les barques solaires s'étaient postées dans le ciel, prêtes à assaillir la ville sans défense. Mais la Reine des eaux avait protégé Venise et, depuis ce temps, on célébrait l'événement en organisant de grandes fêtes dans toute la ville. L'une de ces fêtes aurait lieu tout près de l'atelier. Tiziano l'avait appris le matin en accompagnant Unke au marché au poisson ; il s'était empressé de le raconter à Dario, qui en avait lui-même informé Boro et, un peu à contrecœur, Merle et Junipa.

– Une fête en l'honneur de la Reine des eaux ! Juste à côté d'ici ! Ils sont déjà en train de suspendre des lampions partout, de percer les barriques de bière et de déboucher les bouteilles de vin !

– Les enfants comme vous ne boivent pas de vin ! objecta en souriant Arcimboldo qui avait tout entendu.

– Nous ne sommes plus des enfants ! rétorqua Dario avant d'ajouter avec un regard moqueur vers Junipa : Enfin, sauf certains.

Merle voulut prendre la défense de Junipa, mais ce n'était pas nécessaire.

– Si être adulte, c'est se mettre les doigts dans le nez dès qu'on est dans le noir, se gratter les fesses et faire une foule d'autres choses du même genre, répliqua Junipa avec une ironie inhabituelle, tu es en effet *très* adulte. Pas vrai, Dario ?

Le garçon était devenu rouge comme une pivoine. Merle contempla son amie avec stupeur. Junipa s'était-elle glissée la nuit dans la chambre des garçons pour les observer ? Ou bien voyait-elle à présent à travers les murs grâce à ses yeux en miroir ? L'idée la mettait très mal à l'aise.

Dario se redressa, prêt à riposter, mais Arcimboldo mit fin d'un geste à leur querelle.

– Ça suffit, maintenant. Sinon, aucun de vous n'ira à la fête ! En revanche, si vous avez tous fini votre travail demain au soleil couchant, je ne vois pas de raison à ce que...

Le reste de ses paroles fut étouffé par les cris de joie des apprentis. Même Junipa rayonnait. L'ombre qui voilait son visage s'était dissipée.

– Mais qu'une chose soit bien claire, dit le maître. Les apprentis tisserands y seront certainement eux aussi. Je ne veux pas d'ennuis. Je trouve déjà assez fâcheux que notre rue soit devenue un champ de bataille et je ne tolérerai pas que cette dispute sorte des limites du canal. Nous avons suffisamment attiré l'attention. Donc : pas d'insultes, pas de luttes, pas même de regards de travers. (Ses yeux se posèrent sur Dario.) Compris ?

Dario inspira profondément et acquiesça. Les autres s'empressèrent de renchérir. Dans le fond, Merle était reconnaissante à Arcimboldo d'avoir tenu ce discours, car elle n'avait nullement envie d'en découdre à nouveau avec les apprentis tisserands. Les blessures de Junipa avaient évolué favorablement au cours des trois dernières journées ; il lui fallait à présent du calme pour que les plaies guérissent définitivement.

– Dans ce cas, remettez-vous au travail, dit le maître d'un ton satisfait.

Merle eut l'impression que le temps n'avançait pas jusqu'à la fête. Elle était tout excitée à l'idée de se retrouver au milieu de gens. Non pas qu'elle soit lasse de l'atelier et de ses habitants – si l'on faisait exception de Dario – ; mais l'animation effrénée des ruelles lui manquait, pleine des voix criardes des femmes et des fanfaronnades des hommes.

Enfin, le grand soir arriva et ils quittèrent ensemble la maison. Les garçons marchaient devant, Merle et Junipa suivaient un peu plus loin. Arcimboldo avait fabriqué pour Junipa des lunettes en verre teinté afin que les gens ne remarquent pas ses yeux en miroir.

La petite troupe tourna au coin de la rue, à l'endroit où le canal des Bannis débouchait sur une voie d'eau plus large. Ils virent de loin des centaines de lampions qui ornaient les façades, les fenêtres et les portes des maisons. Un pont étroit, à peine plus grand qu'une passerelle, reliait à cet endroit les deux rives. Sa rambarde était décorée de lampions et de bougies. Les gens étaient assis sur les trottoirs. Certains avaient sorti de chez eux des chaises et des fauteuils, d'autres s'étaient installés sur des coussins ou à même la pierre. Plusieurs marchands de boissons avaient planté leurs stands, mais Dario allait être déçu, constata Merle avec un certain plaisir : c'était une fête de pauvres et il n'y avait pratiquement pas de vin ni de bière. Le raisin et l'orge circulaient sous le manteau et les gens du quartier ne pouvaient dépenser des sommes aussi importantes pour du vin ou de la bière. Bien que la guerre durât depuis des années déjà, le siège des armées du pharaon ne cédait pas d'un pouce. Même si l'on ne s'en rendait pas toujours compte au quotidien, le blocus égyptien restait totalement infranchissable pour les bateaux de pirates. Bien sûr, certains habitants de Venise parvenaient à se procurer du vin – Arcimboldo le faisait bien –, mais c'était une entreprise ardue, voire périlleuse. Les pauvres gens buvaient habituellement de l'eau et se contentaient lors des fêtes de jus et de liqueurs distillées à partir de fruits et de légumes.

Du haut du pont, Merle découvrit l'apprenti tisserand qui avait perdu son masque le premier au cours de la bagarre. Il était accompagné de deux autres garçons. L'un avait le visage écarlate, comme s'il avait attrapé un coup de soleil ; visiblement, il avait eu le plus grand mal à se débarrasser de la glu que Merle avait injectée sous son masque.

Leur meneur, Serafin, était invisible. Merle se rendit compte qu'elle le cherchait des yeux malgré elle et était presque déçue de ne pas le voir.

Junipa, de son côté, était métamorphosée et allait de surprise en surprise. « Tu vois cet homme là-bas ? » et « Mais regarde-les donc ! », s'exclamait-elle sans cesse en gloussant. Elle riait si fort que certaines personnes se retournaient et la regardaient avec d'autant plus d'étonnement que ses verres sombres détonnaient dans une pareille fête populaire. Les lunettes de ce genre n'étaient généralement portées que par les riches et les gens peu enclins à se mêler au bas peuple. Mais la robe usée de Junipa ne laissait guère de doute sur le fait qu'elle n'avait jamais vu un palais de l'intérieur.

Les deux adolescentes se tenaient près du pilier gauche du pont et sirotaient leur jus trop dilué. Sur l'autre rive, un violoniste invitait les gens à danser, bientôt rejoint par un flûtiste. Les jupes des jeunes femmes virevoltaient comme des toupies colorées.

– Tu es bien calme, déclara Junipa.

Elle ne savait toujours pas où donner de la tête. Merle ne l'avait jamais vue dans un tel état d'excitation. Elle s'en réjouissait – elle avait craint que toute cette agitation ne fasse peur à Junipa.

– Tu cherches encore ce garçon. (Junipa jeta un œil argenté par-dessus ses lunettes.) Serafin.

– Qu'est-ce qui te fait penser ça ?

– J'ai été aveugle treize ans. Je connais les gens. Quand tu ne vois rien, les autres cessent de prendre des précautions. Ils confondent être aveugle et être sourd. Il suffit de bien les écouter pour qu'ils dévoilent tout d'eux-mêmes.

– Et que t'ai-je dévoilé ? demanda Merle en plissant le front.

Junipa rit.

– Je te vois et ça me suffit. Depuis le début, tu regardes de tous les côtés. Qui pourrais-tu bien chercher, en dehors de Serafin ?

– Tu te fais des idées.

– Non.

– Si.

Junipa partit d'un rire cristallin.

– Je suis ton amie, Merle. Les filles se racontent ce genre de choses.

Merle fit semblant de la frapper et Junipa gloussa comme une enfant.

– Ah, laisse-moi tranquille ! s'exclama Merle en riant.

Junipa leva les yeux.

– Il est là-bas.

– Où ?

– De l'autre côté.

Junipa avait raison. Serafin se tenait un peu à l'écart et était assis au bord de l'eau, les jambes pendantes. Ses semelles frôlaient presque la surface de l'eau.

– Va le voir, dit Junipa.

– Jamais de la vie.

– Pourquoi donc ?

– C'est un apprenti tisserand. Un de nos ennemis – tu l'as oublié ? Je ne peux pas... Ça ne se fait pas.

– Ça se fait encore moins de faire semblant d'écouter son amie, alors que l'on pense à tout autre chose.

– Tu vois aussi dans les pensées, avec tes yeux ? demanda Merle, amusée.

Junipa secoua la tête énergiquement, comme si l'hypothèse était tout à fait plausible.

– Il suffit de te regarder.

– Tu crois vraiment que je devrais aller lui parler ?

– Bien sûr. (Junipa sourit.) Tu as peur ?

– Mais non. Je veux juste savoir depuis combien de temps il travaille pour Umberto, expliqua Merle pour se justifier.

– *Très* mauvais prétexte !

– Espèce de garce ! Non, ce n'est pas vrai, je retire ce que j'ai dit. Tu es un trésor !

Sur ces mots, elle se jeta au cou de Junipa, la pressa vivement contre elle et emprunta le pont en courant pour se rendre sur l'autre rive. Tout en marchant, elle se retourna et vit que Junipa la suivait des yeux avec un petit sourire.

– Salut.

Surprise, Merle s'immobilisa. Serafin avait dû la voir arriver. Il se tenait tout à coup devant elle.

– Salut, répondit-elle d'une voix étranglée, comme si elle venait d'avaler un noyau. Toi aussi, tu es venu à la fête ?

– On dirait.

– Je pensais que tu aurais peut-être préféré rester à la maison à machiner de nouveaux plans de bataille.

– Ah, la fameuse histoire de la peinture... (Il sourit.) Nous ne faisons pas ça tous les jours. Tu veux boire quelque chose ?

Elle avait laissé son gobelet près de Junipa et acquiesça.

– Du jus. S'il te plaît.

Serafin se retourna et s'approcha d'un débit de boissons. Merle l'observa de dos. Il mesurait une main de plus qu'elle. Il était un peu maigre, peut-être, mais ils l'étaient tous. Les gens qui sont nés dans une ville en état de siège n'ont guère de problèmes de poids. À moins, pensa-t-elle avec cynisme, de s'appeler Ruggero et de manger en secret la moitié des réserves de l'orphelinat.

Serafin revint et lui tendit un gobelet en bois.

– Du jus de pomme, dit-il. Tu aimes, j'espère.

Elle but aussitôt une gorgée poliment.

– Oui, beaucoup.

– Ça ne fait pas longtemps que tu es chez Arcimboldo, n'est-ce pas ?

– Tu le sais très bien.

Elle regretta aussitôt ses paroles. Pourquoi ce ton moqueur ? N'aurait-elle pas pu répondre normalement ?

– Quelques semaines déjà, ajouta-t-elle.

– Toi et ton amie, vous étiez dans le même orphelinat ?

Elle secoua la tête.

– Non, non...

– Arcimboldo lui a fait quelque chose aux yeux.

– Elle était aveugle. Elle a recouvré la vue.

– C'est donc vrai, ce que raconte Umberto.

– Quoi donc ?

– Il dit qu'Arcimboldo est un magicien.

– D'autres disent la même chose d'Umberto.

Serafin sourit.

– Ça fait plus de deux ans que je vis chez lui et il ne m'a encore jamais montré le moindre tour de magie.

– Je crois qu'Arcimboldo réserve ça aussi pour le grand final.

Ils eurent un petit rire nerveux, moins en raison du point commun qu'ils venaient de se découvrir que parce qu'ils ne savaient pas trop tous les deux comment la conversation allait évoluer.

– Tu veux marcher ?

Serafin fit un petit geste de la tête en direction d'un coin plus tranquille où la foule se dispersait et où les lampions se reflétaient dans l'eau paisible du canal.

Merle eut un sourire coquin.

– Heureusement que nous ne faisons pas partie de la haute société. Ce serait un peu déplacé, non ?

– Je me fiche complètement de la haute société.

– Ça nous fait un deuxième point commun.

Ils se mirent à marcher le long du canal, tout près l'un de l'autre, mais sans se toucher. La musique faiblissait et finit par se taire complètement au loin. On n'entendait plus que les clapotis réguliers de l'eau contre les murs sombres. Des pigeons roucoulaient au-dessus d'eux dans les niches et les décorations en stuc des maisons. Ils tournèrent au coin de la rue et s'éloignèrent des guirlandes de lampions.

– Tu as déjà dû chasser les esprits aux miroirs ? demanda Serafin au bout d'un moment.

– Crois-tu vraiment que ce sont des esprits qui vivent dans les miroirs ?

– Maître Umberto dit que ce sont les esprits de tous ceux qui ont été floués par Arcimboldo.

Merle rit.

– Et tu le crois ?

– Non, répondit Serafin sérieusement. Parce que je sais la vérité.

– Mais tu es tisserand, pas miroitier.

– Je ne suis tisserand que depuis deux ans. Avant, j'ai travaillé un peu partout à Venise.

– Tu as encore tes parents ?

– Pas que je sache. En tout cas, je n'ai pas eu l'honneur de faire leur connaissance.

– Mais tu n'as pas été à l'orphelinat.

– Non. J'ai vécu dans la rue. Un peu partout, comme je te l'ai dit. J'ai appris beaucoup de choses pendant cette période. Des choses que tout le monde ne sait pas.

– Par exemple comment dépecer un rat pour le manger ? demanda-t-elle ironiquement.

Il lui fit la grimace.

– Aussi, oui. Mais ce n'est pas de ça que je parle.

Un chat noir passa devant eux, fit demi-tour, revint dans leur direction et sauta sans crier gare sur Serafin. Mais ce n'était pas une attaque : il atterrit sur son épaule et se mit à ronronner. Serafin ne tressaillit même pas. Il se contenta de lever la main et de caresser l'animal.

– Tu es un voleur ! s'exclama Merle. Seuls les voleurs savent y faire avec les chats.

– Les vagabonds se comprennent entre eux, confirma-t-il en souriant. Les voleurs et les chats ont beaucoup de ressemblances. Et beaucoup de choses en commun. (Il soupira.) Mais tu as raison. J'ai grandi au milieu des voleurs. À cinq ans, je suis entré dans la guilde et je suis devenu maître voleur au bout de quelques années.

– Un maître voleur !

Merle était estomaquée. Les maîtres voleurs de la guilde étaient les plus adroits détrousseurs de Venise.

– Mais tu n'as pas plus de quinze ans !

Il opina.

– À treize ans, j'ai quitté la guilde et je suis entré au service d'Umberto. Il avait besoin de quelqu'un comme moi. Quelqu'un qui puisse se faufiler la nuit dans les chambres des dames pour leur livrer les marchandises qu'elles avaient commandées. Tu sais sans doute que la plupart des hommes ne voient pas d'un bon œil que leurs femmes aient affaire à Umberto. Il a…

– Mauvaise réputation ?

– Oui, en quelque sorte. Mais ses habits amincissent. Et les femmes ne veulent surtout pas que leurs maris apprennent qu'elles sont plus grosses qu'il n'y paraît. Umberto n'a peut-être pas très bonne réputation, mais ses affaires sont florissantes.

– Les maris se rendent bien compte de la vérité quand… (Merle rougit)… quand leurs femmes se déshabillent.

– Oh, là aussi, elles ont leurs ruses ! Elles éteignent la lumière ou elles saoulent leurs maris. Les femmes sont plus habiles que tu ne crois.

– Je *suis* une femme !

– Dans quelques années, peut-être.

Elle s'arrêta, outrée.

– Monsieur le maître voleur Serafin, je ne pense pas que vous en sachiez assez sur les femmes – mis à part l'endroit où elles gardent leur porte-monnaie – pour pouvoir tenir de tels propos.

Le chat noir qui était assis sur l'épaule de Serafin cracha en direction de Merle, mais cela ne l'impressionna guère. Serafin glissa quelque chose à l'oreille du chat qui se calma aussitôt.

– Je ne voulais pas te blesser. (Il paraissait sincèrement désolé.) Vraiment pas.

Elle le regarda avec insistance.
– Bon, je te pardonne, pour cette fois.
Il fit une petite révérence et le chat planta ses griffes dans sa chemise.
– Vous m'en voyez infiniment reconnaissant, charmante mademoiselle.
Merle détourna les yeux pour qu'il ne voie pas qu'elle souriait. Lorsqu'elle le regarda à nouveau, le chat était parti. Il y avait des points rouges, dans le tissu de la chemise, à l'endroit où il avait planté ses griffes dans l'épaule de Serafin.
– Il t'a fait mal, dit-elle d'un ton soucieux.
– Qu'y a-t-il de plus douloureux ? Les coups de griffe de l'animal ou ceux des humains ?
Elle jugea préférable de ne pas répondre et continua à avancer. Serafin revint aussitôt à sa hauteur.
– Tu voulais me raconter quelque chose à propos des esprits aux miroirs, dit-elle.
– Moi ?
– Maintenant que tu as commencé, c'est trop tard pour t'arrêter.
Serafin acquiesça.
– En effet. C'est seulement…
Il se tut subitement, s'arrêta et écouta les bruits de la nuit.
– Que se passe-t-il ?
– Chut, dit-il en posant le doigt sur les lèvres de Merle.
Elle guetta les bruits dans l'obscurité. Dans les ruelles et les canaux de Venise, il était fréquent d'entendre les sons les plus curieux. Les bruits s'engouffraient entre les maisons jusqu'à devenir méconnaissables. Le soir, le labyrinthe des ruelles était désert, la plupart des gens préférant

emprunter à cette heure des voies plus fréquentées. Les brigands et les tueurs semaient la terreur dans de nombreux quartiers et on entendait parfois des cris, des plaintes ou des pas précipités résonner entre les vieux murs. L'écho pouvait transporter les bruits très loin de leur source réelle. Si Serafin avait entendu quelque chose d'inquiétant, cela ne voulait rien dire : le danger pouvait se trouver aussi bien au prochain tournant qu'à plusieurs centaines de mètres de là.

– Des soldats ! dit-il d'une voix sifflante.

Il attrapa par le bras Merle, médusée, et l'attira dans l'un des nombreux tunnels étroits creusés sous les demeures de la ville, sortes de ruelles souterraines plongées dans l'obscurité la nuit.

– Tu es sûr ? chuchota-t-elle, la bouche tout près de sa joue.

Elle sentit qu'il hochait la tête.

– Deux hommes sur des lions. Au coin de la rue.

Au même moment, elle les aperçut : deux hommes en uniforme avec des épées et des armes, chevauchant des lions en basalte gris. Les fauves approchèrent à pas majestueux de l'entrée du passage. Ils se déplaçaient avec une grâce étonnante et avaient l'allure glissante des chats de gouttière, bien que leur corps soit en pierre massive. Leurs griffes, acérées comme des lames de poignard, grattaient le pavé et laissaient derrière elles de profonds sillons.

Serafin attendit que la patrouille se soit suffisamment éloignée, puis chuchota :

– Certains connaissent mon visage. Je préfère ne pas me retrouver face à eux.

– C'est bien compréhensible, quand on était déjà maître voleur à treize ans.

Il eut un sourire flatté.

– Tu as peut-être raison.

– Pourquoi as-tu quitté la guilde ?

– Les vieux maîtres ne supportaient pas que je gagne plus qu'eux. Ils ont répandu des mensonges à mon sujet et ont essayé de m'exclure de la guilde. J'ai préféré partir de mon plein gré.

Il sortit du passage. La ruelle était baignée par la lueur d'une lanterne à gaz.

– Viens... j'ai promis de t'en dire plus au sujet des esprits aux miroirs. Mais pour ça, il faut d'abord que je te montre quelque chose.

Ils continuèrent à avancer dans le dédale de ruelles et de passages, tournèrent ici à droite, là à gauche, empruntèrent des ponts pour franchir des canaux immobiles, longèrent des porches et passèrent sous des fils de linge tendus entre les maisons comme une armée de fantômes livides. Ils ne rencontrèrent personne – encore une particularité de cette ville décidément étrange : on pouvait parcourir des kilomètres et ne croiser que des chats et des rats en train de chercher à manger dans les ordures.

Devant eux, la ruelle s'arrêtait au bord d'un canal. Il n'y avait aucune passerelle pour accéder à l'autre rive, les murs des maisons tombaient à pic dans l'eau. Pas le moindre pont à perte de vue.

– C'est une impasse, grommela Merle. Faisons demi-tour.

Serafin secoua la tête.

– C'est ici que je voulais venir.

Il se pencha au bord de l'eau et leva les yeux vers le ciel qui ressemblait à une trouée noire entre les toits des maisons. Puis il regarda l'eau.

– Tu vois ?

Merle s'approcha de lui. Elle regarda l'endroit qu'il lui montrait du doigt à la surface de l'eau frémissante. Une odeur de croupi lui monta aux narines, mais elle y fit à peine attention. Des algues nageaient à la surface, beaucoup plus nombreuses qu'à la normale.

L'unique fenêtre éclairée du coin se reflétait dans l'eau. Elle se trouvait au deuxième étage d'une maison située de l'autre côté du canal. La rive était à cinq mètres environ.

– Je ne sais pas de quoi tu parles, fit-elle.

– Tu vois la fenêtre éclairée ?

– Bien sûr.

Serafin extirpa de sa poche une montre à gousset en argent, une très belle pièce, sans doute un souvenir de son premier métier. Il l'ouvrit d'un déclic.

– Minuit dix. Nous sommes à l'heure.

– Ah ?

Il sourit.

– Je vais t'expliquer. Donc, tu vois le reflet sur l'eau ?

Elle opina.

– Bien. Maintenant, lève les yeux vers la façade et montre-moi la fenêtre qui se reflète dans l'eau. Celle qui est éclairée.

Les yeux de Merle gravirent la façade sombre. Aucune fenêtre n'était éclairée. Elle regarda le canal. Le reflet était toujours là, mais en levant à nouveau les yeux, elle constata que le carré correspondant à la fenêtre éclairée dans la muraille était obscur.

– Comment est-ce possible ? demanda-t-elle, troublée. Dans le reflet la fenêtre est éclairée, et en réalité elle est totalement obscure.

Le sourire de Serafin s'élargit encore.

– Tiens, tiens…

– C'est de la magie ?

– Pas complètement. Ou plutôt, si. Ça dépend de comment on voit les choses.

Le regard de Merle s'assombrit.

– Pourrais-tu t'exprimer un peu plus clairement, s'il te plaît ?

– Ça se produit tous les jours, dans l'heure qui suit minuit. On retrouve ce phénomène à plusieurs endroits de la ville, entre minuit et une heure. Rares sont ceux qui le savent. Même moi, je ne connais que quelques-uns de ces endroits. Mais c'est la vérité : une heure durant, le reflet de certaines maisons ne coïncide pas avec la réalité. Les différences sont minimes. Des fenêtres éclairées, parfois une porte ou une silhouette qui passe le long des maisons, alors qu'il n'y a personne.

– Et qu'est-ce que ça signifie ?

– Personne ne le sait exactement. Mais il y a des rumeurs…

Il baissa la voix et prit une intonation très mystérieuse :

– On raconte qu'il y aurait une *deuxième* Venise.

– Une deuxième Venise ?

– Une ville qui n'existe que dans le reflet sur l'eau. Ou si loin d'ici que l'on ne peut pas s'y rendre, même avec le bateau le plus rapide. Pas même avec les barques solaires de l'Empire. On dit qu'elle se trouve dans un autre monde. Un monde qui ressemble au nôtre, mais qui est en même temps complètement différent. Et tous les jours, à minuit, la frontière entre ces deux villes s'estompe, peut-être parce qu'elle est très vieille et s'use au fil des siècles, comme un tapis qui s'effiloche.

Merle le regarda avec de grands yeux.

– Tu veux dire que cette fenêtre où brûle la lumière… existe réellement, mais pas *ici* ?

– Ce n'est pas tout. Un vieux mendiant qui s'est installé depuis des années dans l'un de ces endroits et qui observe ce qui se passe nuit et jour m'en a dit davantage à ce sujet. Il affirme que parfois, des hommes et des femmes de cette autre Venise réussissent à franchir le mur qui sépare les deux mondes. Mais ce qu'ils ne savent pas, c'est qu'ils ne sont plus des humains en arrivant chez nous. Ils ne sont plus que des esprits à jamais prisonniers des miroirs de la ville. Certains réussissent à sauter de miroir en miroir et finissent ainsi dans l'atelier de ton maître et dans ses miroirs magiques.

Merle se demanda si Serafin était en train de se payer sa tête.

– Tu ne serais pas en train de me mener en bateau ?

Serafin sourit.

– Est-ce que j'ai l'air de quelqu'un qui essaie de rouler les autres ?

– Loin de moi cette idée, cher maître voleur.

– Crois-moi, c'est vraiment ce que l'on m'a raconté. Maintenant, je ne peux pas te dire quelle est la part de vérité dans tout ça. (Il désigna la fenêtre éclairée à la surface de l'eau.) Mais il y a des signes.

– Ça veut dire que j'ai enfermé des gens dans la boule de verre, aujourd'hui !

– Ne t'inquiète pas. J'ai vu Arcimboldo les relâcher dans le canal. Ils vont s'en sortir d'une manière ou d'une autre.

– Je comprends maintenant pourquoi il a dit que les esprits iraient se nicher dans les reflets à la surface de l'eau. (Elle respira profondément.) Arcimboldo le sait ! Il connaît la vérité !

– Que comptes-tu faire ? Lui poser la question ?

Elle haussa les épaules.

– Pourquoi pas ?

Elle n'eut pas le temps d'y réfléchir plus longuement : la surface de l'eau se mit à s'agiter tout à coup. En regardant plus attentivement, elle distingua une silhouette qui se dirigeait vers eux à la surface du canal.

– Est-ce...

Merle s'interrompit, comprenant que le reflet n'était pas une illusion.

– Recule !

Serafin avait vu la silhouette approcher, lui aussi. Ils se réfugièrent dans la ruelle et se collèrent contre le mur.

Une forme imposante arrivait par la gauche et se déplaçait au-dessus de l'eau, sans la toucher. C'était un lion volant. Ses grandes ailes étaient en pierre, comme le reste du corps, et frôlaient les murs de part et d'autre du canal. Il volait presque sans un bruit ; seuls ses puissants battements d'ailes faisaient naître un léger bruissement semblable à une respiration. Un courant d'air glacial balaya le visage de Merle et de Serafin. La masse et la lourdeur du corps étaient trompeuses : il tenait en l'air avec la légèreté d'un oiseau. Ses pattes avant et arrière étaient repliées, sa gueule fermée. Ses yeux brillaient d'une intelligence troublante, beaucoup plus grande que celle des autres animaux.

Un soldat à la mine renfrognée était assis sur son dos. Il portait un uniforme en cuir noir garni de rivets d'acier. Un soldat de la garde rapprochée des conseillers, déléguée à la protection personnelle des grands hommes. On les voyait rarement et, en général, ce n'était pas bon signe.

Le lion et son cavalier passèrent devant l'embouchure de la ruelle sans remarquer les deux adolescents. Merle et Serafin retinrent leur souffle jusqu'à ce que le fauve volant se soit suffisamment éloigné. Ils se penchèrent alors prudemment en avant et virent le lion gagner de la hauteur, quitter l'étroit canal et amorcer une large boucle au-dessus des toits du quartier. Puis ils le perdirent de vue.

– Il tourne en rond, constata Serafin. La personne qu'il surveille ne doit pas être loin.

– Un conseiller ? murmura Merle. À cette heure-ci ? Dans ce quartier ? Jamais de la vie. Ils ne quittent leur palais qu'en cas d'extrême urgence.

– Il n'y a pas beaucoup de lions capables de voler. Les rares qui restent ne s'éloignent jamais de leurs maîtres plus que nécessaire. (Serafin inspira profondément.) L'un des conseillers doit se trouver dans les parages.

Comme pour souligner ses paroles, le grondement d'un lion volant retentit dans le ciel noir. Un deuxième répondit à son appel. Puis un troisième.

– Ils sont plusieurs.

Merle secoua la tête, décontenancée.

– Que font-ils donc par ici ?

Serafin avait les yeux brillants.

– Nous pouvons essayer de le découvrir.

– Et les lions ?

– Je les ai déjà semés plus d'une fois.

Merle ne savait pas s'il se vantait ou s'il disait la vérité. Peut-être les deux. Elle ne le connaissait pas encore assez. Pourtant, son instinct lui disait qu'elle pouvait lui faire confiance. Elle était bien obligée, de toute manière : Serafin se dirigeait déjà vers l'autre extrémité de la ruelle.

Elle courut pour le rattraper.

– Je déteste courir après les gens.

– Parfois, ça aide à prendre des décisions.

Elle respira bruyamment.

– Je déteste encore plus que l'on prenne des décisions à ma place.

Il s'arrêta et la retint par le bras.

– Tu as raison. Il faut que nous le voulions tous les deux. Ça pourrait devenir assez dangereux.

Merle soupira.

– Je ne suis pas de ces filles qui ont peur de tout ; alors, ne me traite pas comme ça. Et les lions volants ne me font pas peur non plus.

« Bien sûr, poursuivit-elle en pensée, je n'ai jamais eu l'occasion d'en avoir un à mes trousses. »

– Ne te vexe pas.

– Je ne suis pas vexée.

– Si.

– Et toi, tu cherches toujours la bagarre.

Il sourit.

– Déformation professionnelle.

– Prétentieux ! Tu n'es plus voleur.

Elle le laissa planté là et continua d'avancer.

– Viens. Sinon, il n'y aura plus ni lions, ni conseillers, ni aventure.

Cette fois, c'est lui qui la suivit. Elle avait le sentiment qu'il la mettait à l'épreuve. Irait-elle dans la direction qu'il aurait lui-même choisie ? Saurait-elle interpréter correctement les bruits d'ailes dans le ciel afin de se laisser guider par eux ?

Elle lui montrerait qui elle était – il n'avait qu'à la suivre.

Elle tourna précipitamment à plusieurs coins de rue, les yeux braqués sur le ciel nocturne qui se découpait entre les arêtes des toits. Elle finit par ralentir le pas pour ne pas faire de bruit. Il ne fallait pas qu'on les découvre. Le problème, c'est qu'elle ne savait pas si le danger viendrait plutôt du ciel ou de l'un des porches.

– C'est la maison là-bas, chuchota Serafin.

Elle suivit du regard son index pointé vers une demeure étroite, juste assez large pour contenir une porte et deux fenêtres barrées. Sans doute l'ancienne maison des domestiques d'une demeure patricienne voisine, vestige de l'époque où les façades de Venise rivalisaient de richesse et d'opulence. Aujourd'hui, tous ces palais étaient aussi déserts que les maisons du canal des Bannis. Même les vagabonds et les mendiants évitaient de s'y installer, car ces immenses salles étaient très difficiles à chauffer en hiver. Depuis le début du siège, le bois de chauffe était un produit rare. Très vite, on s'était mis à casser les demeures abandonnées et leurs plafonds en bois pour chauffer à la saison froide.

– Comment le sais-tu ? demanda Merle à voix basse.

Serafin montra le toit. Merle dut reconnaître qu'il avait de très bons yeux. Quelque chose dépassait de l'arête du toit – une patte de pierre agrippée aux tuiles. De la rue, il était presque impossible de distinguer le lion qui faisait le guet dans l'obscurité, perché sur la maison. Mais Merle imaginait sans mal son regard vigilant, à l'affût du moindre mouvement.

Merle et Serafin s'étaient réfugiés dans l'ombre d'un porche. Ils ne pouvaient pas être vus du toit ; mais s'ils s'approchaient de la maison étroite, le vigile sur le toit les remarquerait forcément.

– On va essayer de passer par-derrière, proposa Serafin à voix basse.

– Mais l'arrière de la maison donne sur le canal !

Merle avait un sens de l'orientation infaillible pour se diriger dans les ruelles de la ville. Elle savait exactement ce qui se trouvait derrière cette rangée de maisons : des façades lisses, sans quai.

– Nous allons y arriver, dit Serafin. Fais-moi confiance.

– Je dois faire confiance à l'ami ou au maître voleur ?

Il hésita brièvement, pencha la tête de côté et la regarda d'un air étonné. Puis il lui tendit la main.

– L'ami ? demanda-t-il doucement.

Elle lui prit la main et la serra très fort.

– D'accord.

Serafin rayonnait.

– Bien, en tant que maître voleur, je peux t'assurer que nous réussirons à pénétrer dans cette maison d'une façon ou d'une autre. Et en tant qu'ami…

Il eut un instant d'hésitation, puis poursuivit :

– En tant qu'ami, je promets de ne jamais te laisser tomber, quoi qu'il arrive cette nuit.

Sans lui laisser le temps de répondre, il l'attira dans la ruelle sombre par où ils étaient arrivés et se dirigea d'un pas décidé dans la direction prévue, en traversant un tunnel, une arrière-cour et des maisons désertes.

En moins de temps qu'il n'en fallait pour le dire, ils se retrouvèrent sur une mince corniche qui bordait la façade arrière des maisons. L'eau, noire comme la nuit, clapotait sous leurs pieds. À vingt mètres de là, on distinguait vaguement dans l'obscurité la silhouette courbe d'un pont. Tout en haut se tenait un lion avec un cavalier armé. L'homme leur tournait le dos. Même s'il se retournait, il y avait peu de chances qu'il les remarque dans la nuit profonde.

– Espérons que le lion ne va pas sentir notre odeur, murmura Merle.

Comme Serafin, elle se pressait contre le mur pour avancer. La corniche n'était pas plus large que ses talons. Elle avait du mal à garder l'équilibre et à surveiller en même temps le vigile sur le pont.

Serafin avait moins de difficultés à évoluer sur la corniche. Il avait l'habitude d'emprunter les chemins les plus farfelus pour pénétrer chez les gens, que ce soit dans ses fonctions de voleur ou de messager secret d'Umberto. Mais il prit soin de ne pas donner à Merle l'impression qu'elle le retardait.

– Pourquoi ne se retourne-t-il pas ? marmonna-t-il entre ses dents serrées. Je n'aime pas ça.

Comme Merle était un peu plus petite que lui, elle pouvait regarder par-dessous le pont. Elle vit un bateau qui approchait dans l'autre sens et fit part de sa découverte à Serafin, toujours en chuchotant.

– Le vigile ne paraît pas s'en inquiéter. On dirait qu'il l'attend.

– Une rencontre secrète, glissa Serafin. J'ai déjà observé des scènes de ce genre un certain nombre de fois. Un conseiller a rendez-vous avec l'un de ses informateurs. Le Conseil a des espions partout, dans toutes les couches de la population.

Pour l'heure, Merle avait d'autres soucis.

– C'est encore loin ?

Serafin se pencha de quelques centimètres.

– Trois mètres environ jusqu'à la première fenêtre. Si elle est ouverte, nous pourrons grimper à l'intérieur.

Il se tourna vers Merle.

– Tu arrives à voir qui est dans le bateau ?

Elle plissa les yeux pour voir plus distinctement la silhouette qui se dressait à la proue. Mais elle était drapée d'un manteau noir à capuche, de même que les deux rameurs assis au fond du bateau. Cela n'avait rien d'étonnant à cette heure et par un froid pareil. Merle frissonna néanmoins à la vue de ce tableau. Était-ce juste une impression ou bien le lion avait-il réellement gratté nerveusement le sol de la patte, sur le pont ?

Serafin arriva au niveau de la fenêtre. Ils n'étaient plus qu'à une dizaine de mètres du pont. Il jeta un regard prudent par la vitre et fit un signe de la tête à Merle.

– C'est vide. Ils doivent être dans une autre pièce.

– Tu vas réussir à ouvrir la fenêtre ?

Merle n'avait pas tellement le vertige, mais son dos commençait à lui faire mal et ses jambes étaient si contractées que des fourmillements lui montaient le long des mollets.

Serafin appuya sur la vitre, doucement, puis un peu plus fort. La fenêtre eut un léger craquement et le battant droit s'ouvrit vers l'intérieur.

Merle poussa un soupir de soulagement. Dieu merci ! Elle essaya de contrôler du coin de l'œil ce qui se passait sur le bateau, tandis que Serafin se faufilait à l'intérieur. L'équipage avait accosté de l'autre côté du pont. Le lion et son cavalier se dirigèrent vers le quai pour accueillir la silhouette masquée.

Merle se rappela les lions en train de faire leur ronde dans le ciel. Ils étaient au moins trois. Peut-être plus. Si l'un d'eux descendait en piqué vers le canal et longeait la rangée de maisons, il les découvrirait aussitôt.

Mais Serafin lui tendait déjà la main par la fenêtre pour l'aider à grimper. Elle fut soulagée de sentir sous ses pieds le bois du parquet. Elle aurait pu embrasser le sol de joie. Ou Serafin. Mais ce n'était pas le moment.

– Tu es toute rouge, constata-t-il.

– C'est parce que j'ai fait des efforts, répondit-elle vivement en tournant le visage. Et maintenant, quel est le programme ?

Il prit tout son temps pour lui répondre. Au début, elle crut qu'il était encore en train de la regarder pour savoir si sa rougeur était vraiment due aux efforts qu'elle avait produits ; puis elle remarqua qu'il tendait en fait l'oreille, comme Junipa le jour de leur arrivée au canal des Bannis. Avec une concentration extrême, pour qu'aucun bruit ne lui échappe.

– Ils sont à l'avant de la maison, dit-il enfin. Ils sont au moins deux, peut-être trois.

– Avec les soldats, ça fait une demi-douzaine.

– Tu as peur ?

– Pas du tout !

Il sourit.

– Je me demande qui est le plus fanfaron de nous deux.

Elle fut obligée de lui rendre son sourire. Impossible de l'abuser, même dans le noir. Avec n'importe qui d'autre, cela lui aurait été désagréable.

« Fais-moi confiance », lui avait-il dit. Et en effet, elle lui faisait confiance. Tout allait beaucoup trop vite, elle n'avait pas le temps de réfléchir.

Sans un bruit, ils se glissèrent hors de la pièce et suivirent à tâtons un corridor obscur. La porte d'entrée se trouvait à l'autre extrémité. La lueur d'une bougie arrivait faiblement par un couloir sur la droite. Sur leur gauche, un escalier menait au premier étage.

Serafin approcha les lèvres tout près de l'oreille de Merle.

– Attends-moi ici. Je pars en éclaireur.

Elle voulut protester, mais il secoua immédiatement la tête.

– S'il te plaît, ajouta-t-il.

Le cœur gros, elle le regarda se diriger sur la pointe des pieds vers le couloir éclairé. À chaque instant, la porte de la maison pouvait s'ouvrir et l'homme à la capuche entrer avec les soldats.

Serafin atteignit la porte, jeta un regard prudent au-dehors, attendit un moment, puis revint vers Merle. Sans un mot, il montra les marches qui menaient à l'étage.

Elle suivit ses instructions, elle aussi sans rien dire. C'était lui, le maître voleur, pas elle. Il savait sans doute mieux qu'elle ce qu'il fallait faire en pareille situation, même si elle avait du mal à l'admettre. Elle n'aimait pas obéir aux autres. Même quand c'était pour son bien.

Merle s'engagea la première dans l'escalier en pierre. Arrivée au premier étage, elle se dirigea vers la pièce située au-dessus de la salle à la bougie. Une fois sur place, elle comprit pourquoi Serafin lui avait dit d'aller en haut.

Un tiers du plancher s'était effondré au milieu de la pièce. Les poutres brisées se dressaient autour du trou béant éclairé par les bougies. On entendait des voix étouffées. Elles paraissaient hésitantes, timides ; Merle ne parvenait pas à comprendre ce qu'elles disaient.

– Trois hommes, lui souffla Serafin dans l'oreille. Trois conseillers. Des grands hommes.

Merle regarda par le trou. Elle sentit la chaleur des bougies lui monter au visage. Serafin avait raison. Les trois hommes qui étaient assis en bas autour d'une bougie portaient les longues robes du Conseil – l'une dorée, l'autre pourpre, la troisième écarlate.

Le Conseil était l'instance suprême de Venise. Depuis que la région avait été envahie par l'Empire égyptien et que tout contact avait cessé avec le continent, c'étaient les conseillers qui décidaient des affaires de la ville assiégée. Ils détenaient le pouvoir et étaient en relation avec la Reine des eaux – en tout cas, c'est ce qu'ils prétendaient. Ils se donnaient des airs d'hommes du monde infaillibles. Mais des histoires d'abus de pouvoir et de népotisme circulaient à leur sujet, rappelant la décadence des anciennes dynasties dont ils étaient pour la plupart issus. Ils privilégiaient ceux qui avaient les moyens, ce n'était pas un secret ; les citoyens qui pouvaient faire valoir un nom ancien avaient à leurs yeux plus de valeur que le commun des mortels.

L'un des hommes installés au rez-de-chaussée tenait un petit coffret en bois. On aurait dit une boîte à bijoux en ébène.

– Que font-ils ? articula Merle sans un bruit.

Serafin haussa les épaules.

Un grincement retentit en bas, dans le couloir. La porte d'entrée s'ouvrit. Des pas résonnèrent, puis ils entendirent la voix d'un soldat.

– Messieurs les conseillers, annonça-t-il d'un ton servile, l'envoyé égyptien est arrivé.

– Tu ne peux pas te taire, sapristi ? lui lança le conseiller à la robe pourpre. Veux-tu que tout le quartier l'apprenne ?

Le soldat recula d'un air contrit et sortit, tandis que la personne qui l'accompagnait entrait dans la pièce. C'était l'homme du bateau. Il portait toujours sa capuche enfoncée sur les yeux. La lueur des bougies ne suffisait pas à éclairer son visage.

Il ne prit pas la peine de saluer ses hôtes.

– Vous avez ce qui était convenu ?

Merle n'avait encore jamais entendu d'Égyptien et s'étonna que l'homme n'ait aucun accent. Mais elle était trop tendue pour comprendre d'emblée ce qui était en train de se passer sous ses yeux. Elle ne prenait que peu à peu conscience de l'importance cruciale de la scène. Une rencontre secrète entre des conseillers et un envoyé égyptien ! Un espion, sans doute, qui vivait dans la ville à l'insu de tous, à en juger par son dialecte vénitien.

Serafin était blanc comme un linge. Des gouttes de sueur perlaient sur son front. Il regardait par le trou béant d'un air consterné.

Le conseiller à la robe dorée esquissa une révérence et les deux autres l'imitèrent.

– Nous sommes heureux que vous ayez répondu à notre invitation. Bien sûr, nous avons apporté ce que vous avez demandé.

Le conseiller à la robe écarlate croisa nerveusement les doigts.

– Le pharaon nous en sera reconnaissant, n'est-ce pas ?

L'homme à la capuche se tourna abruptement vers lui.

– Le dieu-empereur Aménophis va être informé de votre souhait de vous rallier à nous. C'est lui seul qui décidera de la suite des événements, par la grâce de son pouvoir divin.

– Bien sûr, bien sûr ! acquiesça le conseiller à la robe pourpre avec empressement. (Il jeta un regard courroucé à l'homme à la robe écarlate.) Nous ne cherchons nullement à remettre en question les décisions de sa sainteté.

– Comment avez-vous fait pour l'attraper ?

Le conseiller à la robe dorée tendit à l'envoyé le coffret.

– Avec nos salutations respectueuses au pharaon Aménophis. De la part de ses fidèles serviteurs.

« Traîtres ! pensa Merle avec mépris. Traîtres, traîtres, traîtres ! » Le ton servile des trois conseillers lui donnait la nausée. Ou bien était-ce la peur qui lui nouait le ventre ?

L'envoyé s'empara du coffret et ouvrit le cadenas. Les conseillers échangèrent des regards inquiets.

Merle se pencha un peu plus pour mieux voir ce qui se trouvait dans le coffret. Serafin s'efforçait également de ne pas perdre une miette de ce qui se passait.

Le coffret était doublé de velours. Il contenait une petite carafe en cristal, pas plus longue que le doigt. L'envoyé la saisit délicatement et laissa le coffret tomber à terre. Il s'écrasa au sol dans un bruit assourdissant. Les conseillers tressaillirent.

L'homme tint la carafe entre le pouce et l'index à hauteur de son visage, dans la lumière des bougies.

– Enfin, après toutes ces années ! murmura-t-il, perdu dans ses pensées.

Merle regarda Serafin avec étonnement. Que pouvait-il bien y avoir de si précieux dans cette minuscule carafe ?

Le conseiller en robe pourpre joignit les mains dans un geste de respect.

– C'est bien elle, je vous l'assure. L'essence de la Reine des eaux. La potion magique que vous avez mise à notre disposition a fait des miracles.

Merle retint son souffle et échangea avec Serafin un regard alarmé.

– Les alchimistes du pharaon y ont travaillé deux fois dix ans, dit froidement l'envoyé. Nous n'avons jamais douté de l'efficacité de la potion.

– Bien sûr que non.

Le conseiller à la robe écarlate, qui s'était déjà fait remarquer par ses propos déplacés, se balançait nerveusement d'un pied sur l'autre.

– Mais tous vos pouvoirs magiques n'auraient servi à rien si nous n'avions pas été prêts à les utiliser en présence de la Reine des eaux. Jamais un serviteur du pharaon n'aurait pu s'approcher d'elle de la sorte.

L'envoyé prit un ton suspicieux.

– J'en déduis que vous n'êtes pas un serviteur du pharaon, conseiller de Angeliis ?

L'interpellé blêmit.

– Bien sûr que je le suis. Cela ne fait aucun doute.

– Vous n'êtes qu'un misérable lâche. De la pire espèce : vous êtes un traître !

Le conseiller fronça le nez d'un air impudent. Il repoussa la main que le conseiller à la robe pourpre avait posée sur son bras d'un air conciliant.

– Sans nous, vous n'auriez jamais...

– Conseiller de Angeliis ! glapit l'envoyé. (On aurait dit une vieille femme en colère.) Vous allez recevoir la récompense convenue, si c'est cela qui vous préoccupe. Dès que le pharaon sera entré avec ses armées dans la lagune et qu'il vous aura confirmés dans vos fonctions d'administrateurs. Mais pour l'heure, taisez-vous, au nom d'Aménophis !

– Avec votre permission, dit le conseiller à la robe pourpre, sans prêter davantage attention au regard piteux du conseiller de Angeliis, vous êtes bien placé pour savoir que le temps presse. Un messager de l'Enfer a annoncé sa venue pour nous proposer de pactiser avec lui contre l'Empire. Je ne sais combien de temps nous allons pouvoir résister. Certains membres du Conseil voient cette offre d'un œil beaucoup plus favorable que nous. Nous ne pourrons pas les tenir éternellement en échec. D'autant plus que le messager a déclaré vouloir faire la prochaine fois une apparition en public, afin que la population soit informée de ses intentions.

L'envoyé émit un petit sifflement.

– C'est impossible. L'attaque de la lagune est imminente. Un pacte avec l'Enfer risquerait de tout réduire à néant.

Il s'arrêta brièvement pour réfléchir à la situation.

– Si ce messager vient, faites en sorte qu'il ne puisse pas s'adresser à la population. Tuez-le.

– Mais la vengeance de l'Enfer… osa de Angeliis timidement.

Le troisième conseiller le fit taire d'un geste de la main.

– Entendu, seigneur, fit le conseiller à la robe dorée avec une révérence. À vos ordres. L'Empire nous protégera des possibles conséquences, une fois qu'il aura pris le contrôle de la ville.

L'Égyptien opina solennellement.

– En effet.

Merle était si paniquée qu'elle avait l'impression que ses poumons manquaient d'air. Elle fut incapable de retenir son souffle plus longtemps. Le bruit fut très discret, à peine audible, mais il suffit néanmoins à attirer l'attention du conseiller à la robe écarlate qui leva les yeux vers le trou dans le plafond. Merle et Serafin eurent juste le temps de rentrer la tête. Ils entendirent donc simplement ce que dit alors l'envoyé, sans voir ce qui se passait.

– Le cristal de désert qui se trouve dans la carafe est suffisamment puissant pour fixer durablement la Reine des eaux. Son règne sur la lagune est ainsi terminé. Une armée de plusieurs milliers de guerriers est déjà postée sur terre et sur mer. Dès que le pharaon aura entre les mains cette carafe, les galères et les barques solaires passeront à l'attaque.

Merle sentit un mouvement sur sa droite. Elle se retourna vers Serafin, mais il se tenait un peu à l'écart. Pourtant, elle en était sûre : quelque chose bougeait contre sa hanche ! Un rat ? Lorsqu'elle comprit la vérité, il était déjà trop tard.

Le miroir d'eau avait glissé de la poche de sa robe avec de petits tressautements maladroits, comme un animal aveugle. Tout se passa alors extrêmement vite. Merle voulut attraper le miroir, mais il lui échappa des mains, dérapa sur le bord du trou – et tomba dans le vide.

La chute parut durer une éternité et Merle eut le temps de voir que la surface du miroir était devenue laiteuse, voilée par la présence des esprits.

Le miroir s'engouffra dans le trou, hors de portée de Merle, et atterrit sur l'envoyé. Il manqua de près sa capuche et heurta la main qui tenait la carafe en cristal. L'homme poussa un cri de douleur, de colère et de surprise, tandis que le miroir et la carafe s'écrasaient au sol.

– *Non !*

En entendant le hurlement de Serafin, les trois conseillers sursautèrent comme des gouttelettes de graisse brûlante. D'un bond téméraire, Serafin sauta au milieu d'eux. Merle n'eut pas le temps de réfléchir à cet enchaînement soudain de catastrophes. Elle suivit Serafin et bondit dans le vide, sa robe flottant dans l'air, avec un cri furieux qui se voulait menaçant mais qui ne l'était sans doute guère.

L'envoyé baissa la tête pour esquiver ses pieds. Il se pencha prestement et essaya de ramasser la carafe. Mais au lieu d'agripper le récipient en cristal, ses doigts effleurèrent le miroir d'eau. Ils s'enfoncèrent brièvement dans celui-ci et disparurent complètement sous la surface – lorsqu'il en ressortit la main avec un cri de douleur, il lui manquait le bout des doigts. Sa main se terminait par des moignons d'os noirs, fumants, calcinés. On aurait qu'il avait plongé les doigts dans un tonneau d'acide.

Un jappement hystérique sortit de sous la capuche. La scène avait un caractère inhumain, comme si ces cris ne venaient d'aucun visage, d'aucune bouche.

Serafin fit la roue avec une telle agilité qu'il était presque impossible de suivre le mouvement des yeux. Lorsqu'il se redressa près de la fenêtre, il tenait dans la main droite la carafe et dans la main gauche le miroir de Merle.

Pendant ce temps, le conseiller à la robe pourpre, apparemment le meneur du petit groupe de traîtres, avait attrapé Merle par le bras et essayait de l'obliger à se retourner. Le poing serré, il s'apprêtait à la frapper, tandis que les deux autres conseillers couraient dans tous les sens comme des poulets effarouchés et appelaient leurs gardes personnels. Merle esquiva le coup et réussit à se dégager de son emprise. Mais alors qu'elle se débattait, elle sentit à côté d'elle la présence d'un tissu noir. La robe de l'envoyé. Baignée par une odeur nauséabonde de viande brûlée.

Un violent courant d'air passa à travers les interstices de la fenêtre barricadée : des lions volants venaient d'atterrir devant la maison. On entendit des bruits métalliques – les cavaliers extirpaient les sabres de leur fourreau.

Merle sentit un bras l'encercler par l'arrière, mais elle lui échappa en glissant par le bas, comme elle avait l'habitude de le faire lors des innombrables bagarres à l'orphelinat. Elle savait où viser pour faire mal à l'adversaire. Lorsque le conseiller de Angeliis tenta de lui barrer le chemin, elle lui asséna un coup bien placé. L'homme corpulent à la robe écarlate hurla comme un cochon qu'on égorge et se tint des deux mains le bas-ventre.

– Sortons d'ici ! lui cria Serafin.

Pour tenir à distance les deux conseillers, il fit mine de laisser tomber au sol la carafe, dans un geste désespéré.

Merle le rejoignit et courut à ses côtés vers la sortie. Au moment même où ils tournaient dans le couloir, la porte d'entrée s'ouvrit brutalement et deux gardes du corps vêtus de cuir noir firent irruption dans le corridor.

– Par l'Ancien Traître ! jura Serafin.

Les soldats s'arrêtèrent net, abasourdis. Ils s'étaient attendus à un traquenard des Égyptiens, avec des hommes armés jusqu'aux dents, des adversaires dignes de deux soldats de la garde entraînés au combat. Au lieu de cela, ils se trouvaient face à une adolescente habillée comme une miséreuse et à un jeune garçon tenant dans la main deux objets brillants qui ne ressemblaient en rien à des armes.

Merle et Serafin profitèrent de cet effet de surprise et repartirent vers la pièce du fond avant que les gardes n'aient le temps de réagir.

L'envoyé les y attendait, debout devant la fenêtre ouverte. C'était leur seule issue et il le savait. Ils étaient obligés de sortir par l'arrière, du côté de l'eau.

– Le miroir ! cria Merle à Serafin.

Il le lui jeta et elle l'attrapa des deux mains, le saisit par le manche et se mit à cogner sur l'envoyé. Il l'évita souplement, libérant ainsi le passage par la fenêtre. Ses doigts calcinés fumaient encore.

– La carafe ! ordonna-t-il d'une voix sifflante. Votre conduite est une provocation pour le pharaon !

Serafin partit d'un rire téméraire qui surprit Merle elle-même. Puis il fit un saut périlleux sans élan et passa à côté de l'envoyé qui ne parvint pas à l'attraper. Il se réceptionna dans l'encadrement de la fenêtre, tel un oiseau, les deux pieds posés sur le rebord, les genoux groupés, un large sourire aux lèvres.

– Vive la Reine des eaux ! s'écria-t-il, tandis que Merle profitait de la diversion pour sauter à ses côtés. Qui m'aime me suive !

Puis il se laissa tomber en arrière dans l'eau tranquille du canal.

Merle le suivit – moins que sa main, c'était l'enthousiasme de Serafin qui la poussait à le suivre, cette volonté indestructible de ne pas céder. Pour la première fois, elle éprouvait de l'admiration pour une autre personne.

L'envoyé jappa et attrapa l'ourlet de la robe de Merle, mais avec sa main calcinée. Il lâcha aussitôt le tissu en hurlant de douleur.

L'eau était glaciale. Merle eut l'impression que le froid traversait entièrement ses vêtements, sa chair, tout son corps en l'espace d'un battement de cœur. Elle ne pouvait plus respirer, bouger, ni même penser. A posteriori, elle se demanda combien de temps elle avait tenu dans cet état qui lui avait paru durer au moins une minute. Mais elle finit par remonter à la surface. Serafin était à côté d'elle. La vie revint dans ses membres transis. En fait, elle n'était sûrement pas restée plus de quelques secondes sous l'eau.

– Tiens, attrape !

Il lui fourra la carafe dans la main gauche. Dans la main droite, elle tenait encore le miroir. On aurait dit qu'il était pris dans sa peau.

– Qu'est-ce que je dois en faire ?

– Si les choses se corsent, je me charge de faire diversion, dit Serafin en crachant de l'eau.

Les vagues venaient se briser sur ses lèvres.

« Se corser ? » pensa Merle. N'avaient-ils pas fait le plus dur ?

L'envoyé apparut dans la fenêtre et cria quelque chose.

Serafin poussa un long sifflement. Il dut s'y reprendre à deux fois – à la première tentative, seule de l'eau s'échappa de sa bouche. Merle suivit son regard tourné vers la fenêtre, puis elle vit des silhouettes sombres surgir de toutes parts, des ombres à quatre pattes qui s'élancèrent des trous, des niches et des gouttières et se jetèrent dans un concert de glapissements et de miaulements sur l'envoyé, toutes griffes sorties. Un chat rebondit sur le rebord de la fenêtre et disparut complètement sous la capuche noire. L'Égyptien hurla et tituba à l'intérieur de la pièce.

– Une astuce de voleur, rien de bien méchant ! expliqua Serafin d'un ton suffisant.

– Il faut que nous sortions de l'eau !

Merle glissa le miroir dans la poche de sa robe avec la carafe, sans s'en préoccuper davantage sur le moment. Elle fit quelques brasses en direction de la rive opposée. Les murs tombaient à pic dans le canal, il n'y avait aucune prise pour se hisser hors de l'eau. Qu'importe, il fallait faire quelque chose !

– Sortir de l'eau ? répéta Serafin, les yeux rivés vers le ciel. J'ai l'impression que le problème va être vite réglé.

Merle eut toutes les peines du monde à se retourner – elle était hors d'haleine et sa robe la gênait. Quand enfin elle y parvint, elle comprit ce qu'il voulait dire.

Deux lions descendaient vers eux en piqué, les ailes déployées dans la nuit noire.

– Plonge ! cria-t-elle.

Elle n'eut pas le temps de voir si Serafin suivait ses instructions. Elle retint sa respiration et se laissa glisser dans l'eau. Elle sentit le froid salé sur ses lèvres, la pression qui montait dans ses oreilles et dans son nez. Le canal devait faire environ trois mètres de profondeur ; elle savait qu'il lui fallait s'enfoncer au moins de la moitié pour échapper aux griffes des lions.

Sans rien voir ni entendre de ce qui se passait autour d'elle, elle se renversa à l'horizontale et se mit à avancer avec des brasses puissantes. Peut-être atteindrait-elle l'une des anciennes portes utilisées pour décharger les marchandises.

À l'époque où Venise était encore une importante métropole commerciale, les commerçants se faisaient livrer à domicile par les canaux, et les marchandises étaient débarquées à travers des portes percées au niveau de l'eau. Aujourd'hui, beaucoup des demeures étaient vides et leurs propriétaires morts depuis longtemps, mais les portes étaient toujours là, généralement rouillées, attaquées par l'eau et le sel. Le tiers inférieur était souvent entièrement rongé par la moisissure. Pour Merle, cela constituerait un refuge parfait.

Et Serafin ?

Elle priait pour qu'il l'ait imitée et ne soit pas resté trop haut, à un endroit où les griffes des lions pourraient l'attraper. Les lions de pierre n'aiment pas l'eau, ils ne l'ont jamais aimée et les derniers représentants de l'espèce ne faisaient pas exception à la règle. Ils pouvaient mettre les griffes dans l'eau, mais jamais de la vie ils n'y plongeraient eux-mêmes en entier. Merle connaissait ce point faible des lions et elle espérait de tout cœur que Serafin le savait également.

Commençant à manquer d'air, elle adressa dans son désespoir une prière à la Reine des eaux. Puis elle se rappela que la reine se trouvait dans une carafe dans la poche de sa robe, emprisonnée comme un esprit dans une bouteille, probablement aussi désemparée qu'elle.

« L'essence de la Reine des eaux », avait dit le conseiller.

Où était Serafin ? Et où se trouvait la prochaine porte ?

Ses sens faiblissaient. Tout tournait autour d'elle dans l'obscurité, et elle avait l'impression de s'enfoncer de plus en plus, alors même qu'elle remontait vers la surface.

Elle atteignit enfin l'air libre. Ses poumons se remplirent aussitôt. Elle ouvrit les yeux.

Elle était arrivée plus loin qu'elle ne l'espérait. Juste à côté d'elle se trouvait une porte carrée. Les lèchements continus de l'eau avaient fini par ronger le bois. La partie supérieure était intacte et accrochée dans ses gonds, mais en dessous, un trou béant noir conduisait à l'intérieur de la maison. Le bois pourri et éclaté ressemblait à la mâchoire d'un monstre marin – une rangée de petites dents pointues, auxquelles les algues et les moisissures donnaient une teinte verdâtre.

– Merle !

Le son de la voix de Serafin la fit se retourner. Ce qu'elle vit alors la paralysa des pieds à la tête ; pour un peu, elle en aurait coulé à pic.

Un des lions volait à la surface de l'eau et tenait entre ses pattes avant Serafin dégoulinant, comme un poisson qu'il aurait attrapé à la pêche et tiré hors de l'eau.

– Merle ! hurla à nouveau Serafin.

Elle se rendit compte alors qu'il ne pouvait pas voir où elle était et ne savait même pas si elle était encore en vie. Il avait peur pour elle. Il craignait qu'elle ne se soit noyée.

Elle éprouva l'envie impétueuse de lui répondre, d'attirer l'attention du lion pour lui donner peut-être une chance de s'enfuir. Mais c'était illusoire. Aucun lion ne lâche sa proie.

La bête fit demi-tour d'un battement d'ailes précis, s'éloigna et prit de l'altitude en pressant le pauvre Serafin contre son corps.

– Merle, où que tu sois ! hurla Serafin d'une voix de plus en plus rauque. Il faut que tu t'enfuies ! Cache-toi ! Sauve la Reine des eaux !

Puis le lion, son cavalier et Serafin disparurent dans la nuit comme un nuage de cendres emportées par le vent.

Merle plongea. Ses larmes se mêlèrent au canal. Elle-même ne faisait plus qu'un avec celui-ci. Elle se faufila par la gueule béante en bois moisi qui donnait sur une pièce encore plus sombre ; elle trouva dans l'obscurité un endroit pour se hisser au sec ; et s'allongea sur le sol, recroquevillée comme un petit enfant, en larmes.

En larmes et hors d'haleine.

Chapitre 5

Le début et la fin

La Reine des eaux s'adressa alors à elle.

– *Merle*, dit sa voix. *Merle, écoute-moi !*

Merle se redressa et chercha de tous côtés la source de la voix. L'ancien entrepôt sentait l'humidité et le bois pourri. La seule lueur venait de la porte brisée donnant sur le canal. Il y avait dans l'air un étrange bruissement... quelqu'un était en train d'explorer la surface du canal au flambeau !

Il fallait qu'elle quitte cet endroit, le plus rapidement possible.

– *Tu ne rêves pas, Merle.*

Les mots résonnaient en elle, entre ses oreilles.

– Qui es-tu ? chuchota-t-elle en se remettant d'un bond sur ses pieds.

– *Tu sais très bien qui je suis. N'aie pas peur de moi.*

Merle tira le miroir de la poche de sa robe et le tint dans la lumière vacillante. La surface était lisse, l'esprit avait disparu. Ce n'était donc pas lui qui lui parlait, elle s'en était doutée. Elle remit rapidement le miroir dans sa poche et s'empara de la carafe. Le flacon tenait parfaitement dans le creux de sa main.

– C’est toi ?

Elle essayait de ne parler que par bribes, sans prononcer de phrases entières, pour masquer les tremblements de sa voix.

– *Tu dois quitter cet endroit. Ils vont fouiller toutes les maisons qui bordent le canal. Puis le reste du quartier.*

– Que va-t-il arriver à Serafin ?

– *Il est prisonnier de la garde.*

– Ils vont le tuer !

– *Peut-être. Mais pas tout de suite. S’ils voulaient le tuer, ils auraient pu le faire tout de suite. Ils vont essayer de le faire parler pour savoir qui tu es et où ils peuvent te trouver.*

Merle remit la carafe dans sa poche et avança à tâtons dans le noir. Elle mourait de froid dans sa robe mouillée, mais ce n’était pas cela qui lui donnait la chair de poule.

– Tu es la Reine des eaux ? demanda-t-elle tout bas.

– *C’est ainsi que tu veux m’appeler ? Reine ?*

– Pour l’instant, je veux surtout sortir d’ici.

– *C’est bien ce que nous allons faire.*

– Nous ? Je ne vois ici qu’une personne capable de se déplacer.

Elle trouva dans l’obscurité une porte pour accéder au reste de la maison. Elle se faufila à l’intérieur et se retrouva dans un hall d’entrée abandonné. Le sol et les rampes d’escalier étaient recouverts d’une épaisse couche de poussière. Les pieds de Merle y laissaient des empreintes comme si elle marchait dans la neige. Ses poursuivants n’auraient aucun mal à retrouver sa piste.

La porte d’entrée était barrée de l’extérieur, comme beaucoup de portes à Venise à cette époque. Mais elle réussit à briser une des vitres en s’armant d’une statue à la tête cassée. Comme par miracle, elle réussit à se glisser par la fenêtre sans se couper aux mains ni aux genoux.

Et maintenant ? Le mieux était de retourner au canal des Bannis. Arcimboldo saurait quoi faire. Ou Unke. Ou Junipa. N'importe qui ! Elle ne pouvait garder ce secret pour elle plus longtemps.

– *Si ton ami parle, c'est là qu'ils iront te chercher en premier*, dit soudain la voix pour la mettre en garde.

– Serafin ne va pas me trahir, répondit-elle avec emportement.

Et elle ajouta en pensée : « Il a juré de ne jamais me laisser tomber. »

Elle, en revanche, avait assisté sans rien faire à sa capture par le lion. Mais qu'aurait-elle pu faire ?

– *Rien*, dit la voix, *tu étais sans défense. Tu l'es toujours, d'ailleurs.*

– Tu lis dans mes pensées ?

Pas de réponse… ce qui était en soi une réponse suffisante.

– Ne joue pas à ce petit jeu avec moi, dit-elle d'un ton acerbe. Je t'ai sauvée. Tu me dois quelque chose.

Silence. Avait-elle vexé la voix ? Tant mieux, elle la laisserait peut-être en paix. Il était déjà suffisamment difficile de réfléchir à la situation, elle n'avait pas besoin qu'une voix intérieure mette en doute chacune de ses décisions.

Elle s'engagea prudemment dans la ruelle. Tous les quelques pas, elle s'arrêtait pour tendre l'oreille et guetter d'éventuels poursuivants. Elle surveillait aussi le ciel du coin de l'œil ; mais il faisait encore si sombre qu'une armée entière de lions aurait pu tournoyer au-dessus de sa tête sans qu'elle s'en rende compte. Le soleil ne se lèverait que dans plusieurs heures.

Très vite, elle reconnut l'endroit : elle n'était qu'à quelques coins de rue du Campo San Polo et avait donc déjà fait la moitié du chemin jusqu'à l'atelier. Elle serait bientôt en sécurité.

– *Tu n'y seras pas en sécurité*, objecta la voix. *Pas tant que le garçon sera leur prisonnier.*

Merle n'y tint plus.

– Que me veux-tu ? s'exclama-t-elle, sa voix résonnant entre les murs. Qui es-tu ? Ma conscience ?

– *Si tu veux, je peux l'être aussi.*

– Je ne veux qu'une chose, c'est que tu me laisses tranquille !

– *Je ne fais que te donner des conseils, pas des ordres.*

– Je n'ai pas besoin de conseils.

– *Je crains que si.*

Merle s'arrêta, furieuse, regarda autour d'elle et découvrit une fente entre les planches d'une cabane qui reliait deux maisons. Il fallait qu'elle tire cette histoire au clair une bonne fois pour toutes. Elle se faufila à travers l'ouverture, s'enfonça dans le passage sombre qui séparait les deux maisons et s'agenouilla.

– Tu veux me parler ? Bien, parlons.

– *Comme tu veux.*

– Qui es-tu ?

– *Je pense que tu le sais très bien.*

– La Reine des eaux ?

– *Pour l'instant, juste une voix dans ta tête.*

Merle hésita. Si la voix était vraiment celle de la reine, ne ferait-elle pas mieux de lui montrer un peu plus de respect ? Mais elle n'en était pas encore sûre.

– Tu ne parles pas comme une reine.

– *Je parle comme toi. Je parle avec ta voix, tes pensées.*

– Je suis juste une adolescente comme les autres.

– *Désormais, tu es plus que cela. Tu es investie d'une mission.*

– Je ne suis investie de rien du tout ! dit Merle. Je n'ai pas voulu tout ça. Et ne viens pas me parler de destin ou de sottises de ce genre. Nous ne sommes pas dans un conte.

– *En effet, malheureusement. Dans un conte, les choses seraient plus simples. Tu rentrerais chez toi, tu découvrirais que les soldats ont brûlé ta maison et emporté tes amis, tu te mettrais en colère, tu comprendrais que tu dois relever le défi et te battre contre le pharaon, tu finirais par le retrouver et tu le tuerais par la ruse. Ça, ce serait le conte. Mais malheureusement, la situation est bien réelle. Ta mission est la même et pourtant, tout est très différent.*

– Je pourrais très bien prendre la carafe et la déverser dans le prochain canal venu.

– *Non ! Cela me tuerait !*

– Dans ce cas, tu n'es pas la Reine des eaux. La reine est chez elle dans les canaux de la ville.

– *La Reine des eaux est simplement ce que tu veux qu'elle soit. Pour l'instant, un liquide dans une carafe. Et une voix dans ta tête.*

– Tout ça n'a ni queue ni tête. Je ne comprends rien à ce que tu racontes.

– *Les Égyptiens m'ont chassée des canaux en jetant un sort. C'est ainsi que les traîtres ont réussi à me capturer dans cette carafe. Le sort pèse encore sur toute la lagune et il va mettre des mois à s'estomper. Pendant tout ce temps, mon essence ne doit pas entrer en contact avec l'eau.*

– Nous pensions tous que tu étais… autre chose.

– *Je suis désolée de te décevoir.*

– Quelque chose de spirituel.

– *Comme Dieu ?*

– Oui, en quelque sorte.

– *Mais Dieu est en celui qui croit. De même que je suis en toi, maintenant.*

– Ce n'est pas la même chose. Tu ne me laisses pas le choix. Tu me parles. Je suis *obligée* de croire en toi, sinon…

– *Sinon ?*

– Sinon, ça voudrait dire que je suis folle. Que je parle toute seule.

– *Et ce serait si grave d'écouter sa voix intérieure ?*

Merle secoua impatiemment la tête.

– Tu chipotes sur les mots. Tu essaies de jeter le trouble dans mes pensées. Peut-être n'es-tu en fait que cet esprit stupide qui s'est perdu dans mon miroir.

– *Mets-moi à l'épreuve. Pose le miroir quelque part. Éloigne-toi de lui. Tu verras que je suis toujours près de toi.*

– Je n'abandonnerai jamais le miroir de mon plein gré. Tu le sais très bien, j'imagine.

– *Ce ne serait pas pour toujours. Juste un instant. Va le poser tout au fond du passage, reviens et tu verras bien si je suis encore là.*

Merle réfléchit un instant, puis accepta. Elle cacha le miroir dans le coin le plus reculé de la cabane, à une quinzaine de mètres de l'entrée. Elle dut enjamber pour cela les détritus qui s'étaient accumulés au fil des ans et chasser du pied les rats qui essayaient de lui mordre le talon. Puis elle revint à l'avant du passage, sans le miroir.

– Alors ? demanda-t-elle tout bas.

– *Je suis là*, répliqua la voix, amusée.

Merle soupira.

– Donc, tu continues à affirmer que tu es la Reine des eaux ?

– *Je n'ai jamais prétendu cela. C'est toi qui l'as dit.*

Merle courut rechercher son miroir et se dépêcha de le replacer dans sa robe, puis referma le bouton de la poche.

– Tu as dit que tu utilisais mes mots et mes pensées. Ça signifie que tu peux aussi influer sur ma volonté ?

– *Même si je le pouvais, je ne le ferais pas.*

– Je n'ai pas d'autre choix que de te croire, n'est-ce pas ?

– *Fais-moi confiance.*

C'était la deuxième fois en quelques heures que quelqu'un prononçait cette phrase. Voilà qui n'était guère de son goût.

– Peut-être que tout ça n'est qu'un effet de mon imagination. C'est une possibilité, n'est-ce pas ?

– *Que préférerais-tu ? Une voix qui ne te parle que dans ton imagination ou bien une voix réelle ?*

– Ni l'une ni l'autre.

– *Ne t'inquiète pas, je ne vais pas faire appel à tes services plus longtemps que nécessaire.*

Merle écarquilla les yeux.

– Mes services ?

– *J'ai besoin de ton aide. L'espion égyptien et les traîtres vont tout mettre en œuvre pour me récupérer. Ils vont te traquer. Nous devons quitter Venise.*

– Quitter la ville ? Mais c'est impossible ! Elle est encerclée depuis plus de trente ans et le siège est aussi infranchissable qu'au premier jour.

La voix semblait très affectée.

– *J'ai fait tout ce qui était en mon pouvoir, mais l'ennemi a réussi à me rouler. Je ne vais pas pouvoir protéger la lagune plus longtemps. Nous devons trouver un autre moyen.*

– Mais… que va-t-il se passer avec tous ces gens ? Et les sirènes ?

– *Personne ne peut empêcher l'entrée des Égyptiens dans la ville. Pour l'instant, ils ne savent pas encore exactement ce qui m'est arrivé. Cela nous laisse un peu de temps pour agir. Mais ils ne tarderont pas à découvrir la vérité. En attendant, la ville est encore en sécurité.*

– C'est reculer pour mieux sauter.

– *Oui*, dit la voix tristement. *Ni plus ni moins. Mais lorsque l'étreinte du pharaon va se refermer sur la lagune, il va se mettre à tes trousses. L'envoyé a vu ton visage. Il ne connaîtra pas de répit jusqu'à ce que tu sois morte.*

Merle pensa à Junipa et à Serafin, à Arcimboldo et à Unke. Tous ceux qui comptaient pour elle. Fallait-il qu'elle les abandonne pour prendre la fuite ?

– *Il n'est pas question de fuir*, répliqua la voix. *Mais de nous mettre en quête. Je suis la lagune. Jamais je ne l'abandonnerai. Si elle meurt, je mourrai aussi. Mais il nous faut quitter la ville pour trouver de l'aide.*

– Il n'y a plus personne qui puisse nous aider en dehors d'ici. Voilà longtemps que l'Empire règne sur le reste du monde.

– *Peut-être. Ce n'est pas sûr.*

Merle en avait assez de ces allusions énigmatiques. Elle était pratiquement convaincue désormais que c'était la Reine des eaux en personne qui parlait dans sa tête. Mais bien qu'ayant grandi dans une ville qui vénérait la reine plus que tout, elle n'éprouvait plus aucun respect. Elle n'avait pas demandé à être embarquée dans cet imbroglio.

– D'abord, je vais retourner à l'atelier, dit Merle. Il faut que je parle à Junipa et à Arcimboldo.

– *Cela nous fera perdre un temps précieux.*

– C'est moi qui décide ! répondit Merle d'un ton courroucé.

– *Comme tu veux.*

– Tu veux dire que tu ne vas pas essayer de me faire changer d'avis ?

– *Non.*

Cela la surprit et lui rendit en même temps un peu de son assurance.

Elle s'apprêtait à retourner dans la ruelle en se glissant par la fente lorsque la voix s'éleva à nouveau.

– *Il y a encore quelque chose.*

– Ah ?

– *Je ne vais pas pouvoir rester encore longtemps dans cette carafe.*

– Pourquoi ?

– *Le cristal du désert paralyse mes pensées.*

Merle sourit.

– Ça veut dire que tu parleras moins ?

– *Cela veut dire que je vais mourir. Mon essence doit s'unir à des organismes vivants. L'eau de la lagune en est pleine. La carafe, elle, est en cristal froid et mort. Je vais me faner comme une plante privée de terre et de lumière.*

– Et que puis-je faire pour t'aider ?

– *Il faut que tu me boives.*

Le visage de Merle s'allongea.

– Te... boire ?

– *Pour que nous ne fassions plus qu'une, toi et moi.*

– Tu es déjà dans ma tête et maintenant tu veux entrer aussi dans mon corps ? Tu connais l'expression : donnez le petit doigt à quelqu'un, et il réclamera tout...

– *Je vais mourir, Merle. Et la lagune va mourir avec moi.*

– C'est du chantage, t'en rends-tu compte ? Si je ne t'aide pas, tout le monde va mourir. Si je ne te bois pas, tout le monde va mourir. Que vas-tu me sortir, la prochaine fois ?

– *Bois-moi, Merle.*

Elle sortit la carafe de sa poche. Les facettes du cristal brillaient comme un œil d'insecte.

– Et il n'y a pas d'autre solution ?

– *Non.*

– Comment vas-tu… comment comptes-tu ressortir de moi ? Et quand ?

– *Quand le moment sera venu.*

– Je me doutais que tu dirais ça.

– *Je ne te demanderais pas de le faire si nous avions le choix.*

Merle se dit qu'elle avait le choix. Elle pouvait encore jeter la carafe et faire comme si cette nuit n'avait jamais existé. Mais comment sa mémoire pourrait-elle occulter tout cela : Serafin, le combat avec l'envoyé, la Reine des eaux ?

Parfois, les responsabilités grandissent en vous imperceptiblement. Une fois que vous en prenez conscience, vous ne pouvez plus vous en débarrasser.

Merle retira le bouchon de la carafe et renifla le contenu du flacon. Il n'avait pas d'odeur.

– Et… tu as quel goût ?

– *Le goût que tu veux.*

– Le goût de framboises fraîches, par exemple ?

– *Pourquoi pas ?*

Après une dernière hésitation, Merle porta la carafe à sa bouche et but. Le liquide à l'intérieur était transparent et frais comme de l'eau. La carafe ne contenait que deux ou trois gorgées.

– Tu n'avais pas le goût de framboise !

– *J'avais le goût de quoi, alors ?*

– De rien.

– *Dans ce cas, ce n'était pas si terrible que tu l'avais cru, n'est-ce pas ?*

– Je déteste qu'on me mente.

– *Cela ne se reproduira plus. Tu te sens différente ?*

Merle prêta attention à ce qui se passait en elle, mais elle ne nota aucun changement. La carafe aurait pu tout aussi bien contenir de l'eau.

– Je suis exactement comme avant.

– *Bien. Jette la carafe vide. Il ne faut pas qu'on la trouve sur toi.*

Merle replaça le bouchon sur le petit flacon en cristal et le cacha sous un tas d'ordures. Elle prenait peu à peu conscience de ce qui s'était passé.

– Est-ce que je porte réellement la Reine des eaux en moi ?

– *Tu l'as toujours fait. Comme tous ceux qui croient en elle.*

– Toujours ces histoires d'église, de prêtres et de religion.

La voix à l'intérieur de sa tête soupira.

– *Si cela peut te rassurer : oui, je suis à présent en toi. Vraiment.*

Merle plissa le front, puis haussa les épaules.

– De toute façon, il est trop tard pour y changer quoi que ce soit.

La voix se tut. Merle en profita pour quitter enfin sa cachette. Elle rejoignit par les ruelles le canal des Bannis aussi vite qu'elle le pouvait. Elle longeait les murs des maisons pour ne pas qu'on puisse l'apercevoir d'en haut. Le ciel était sans doute rempli de lions de la garde.

– *Cela m'étonnerait*, remarqua la Reine des eaux. *Les trois conseillers sont les seuls à m'avoir trahie et ils ne peuvent faire appel qu'à leur garde personnelle. Aucun conseiller ne possède plus de deux lions volants. Au plus, il y en a donc six.*

– Six lions qui n'ont d'autre tâche que de me retrouver ? s'exclama Merle. Et c'est censé me rassurer ? Merci bien !

– *De rien.*

– Tu ne sais pas grand-chose de nous, n'est-ce pas ?

– *Je n'ai jamais eu l'occasion d'en apprendre davantage sur vous.*

Merle secoua la tête sans rien dire. Voilà des décennies que la Reine des eaux était adulée et faisait l'objet de véritables cultes. Mais la reine elle-même n'en savait rien. Elle ne savait rien des humains, de ce qu'elle représentait pour eux.

Elle était la lagune. Mais cela suffisait-il à faire d'elle une divinité ?

– *Et le pharaon que les Égyptiens vénèrent comme un Dieu, est-il un Dieu ?* demanda la voix. *Pour eux, oui, sans aucun doute. Pour vous, non. La divinité réside uniquement dans l'œil de l'observateur.*

Merle n'était pas d'humeur à réfléchir à cette question et préféra changer de sujet :

– Le coup du miroir, tout à l'heure, c'était toi ?

– *Non.*

– Alors, c'était le miroir lui-même ? Ou l'esprit qui se trouve à l'intérieur ?

– *Tu as pensé au fait que c'est toi qui l'as jeté sur l'envoyé ?*

– Si c'était la raison, je le saurais.

– *Cette voix que tu entends dans ta tête n'est peut-être que la tienne. Il est aussi possible que tu fasses des choses sans en avoir conscience – simplement parce qu'elles sont* justes.

– C'est ridicule.

– *Comme tu veux.*

Elles n'échangèrent plus un mot sur le sujet, mais Merle était obsédée par cette idée. Et si elle n'entendait la Reine des eaux que dans son imagination ? Si elle s'entretenait depuis le début avec une chimère ? Pis encore :

peut-être avait-elle perdu le contrôle de ses actes et les attribuait-elle à des puissances surnaturelles sans existence réelle ?

Cette perspective l'effrayait plus encore que l'idée d'héberger en elle quelque chose d'étranger. D'un autre côté, elle ne ressentait aucune présence à l'intérieur d'elle-même. Tout cela était affreusement troublant.

Merle atteignit l'embouchure du canal des Bannis. La fête n'était pas encore terminée : quelques noceurs infatigables étaient assis sur le pont et bavardaient à voix basse ou contemplaient sans rien dire le fond de leur gobelet. Il n'y avait pas trace de Junipa et des garçons. Ils étaient sans doute déjà rentrés depuis longtemps.

Merle suivit le chemin étroit qui bordait le canal pour rejoindre l'atelier d'Arcimboldo. L'eau clapotait contre la pierre. Elle leva une dernière fois les yeux au ciel et imagina les lions en train de tournoyer, hors de la lumière des lampadaires et des flambeaux. Les soldats assis sur leur dos ne devaient rien voir dans l'obscurité, mais les félins ne sont-ils pas tous nyctalopes ? Elle se représenta les yeux jaunes des fauves prêts à tuer, fixant le vide à la recherche d'une jeune adolescente échevelée aux habits mouillés et déchirés, détentrice d'un savoir qui pouvait lui coûter la vie.

Elle frappa à la porte de l'atelier. Personne ne répondit. Elle frappa à nouveau. Les coups lui parurent plus sonores qu'à l'accoutumée – ils devaient résonner dans tout le quartier. Peut-être les lions étaient-ils déjà en route pour le canal des Bannis. Peut-être l'un d'eux allait-il descendre en piqué à travers les couches d'air froid, traverser le globe de vapeur qui enveloppait la ville, transpercer le tapis de fumée montant des cheminées, surgir dans la lueur faible des lanternes pour se jeter sur Merle. Elle lança un regard paniqué vers le ciel obscur et aperçut au-dessus d'elle une forme étrange avec de gigantesques ailes de pierre, des pattes aussi grosses que des chiots, des…

La porte s'ouvrit. Unke la saisit par le bras et l'attira à l'intérieur.

– Qu'est-ce qui t'a pris de t'en aller comme ça ?

La sirène avait les yeux qui lançaient des éclairs. Elle claqua la porte derrière Merle.

– Je te croyais un peu plus raisonnable.

– Il faut que je parle au maître.

Merle lançait des regards effrayés en direction de la porte.

– *Il n'y avait personne*, dit la reine d'une voix apaisante.

– Le maître ? demanda Unke.

Visiblement, elle n'entendait pas la voix.

– Tu sais l'heure qu'il est ?

– Je suis désolée. Sincèrement. Mais c'est important.

Elle soutint le regard d'Unke et essaya de lire dans les yeux de la sirène. « Tu as été choisie par la Reine des eaux », lui avait-elle dit. A posteriori, ces paroles pouvaient presque être considérées comme une prophétie de ce qui s'était passé au cours de la nuit. Unke sentait-elle la transformation qui avait eu lieu en Merle ? Devinait-elle une présence étrangère dans ses pensées ?

Elle cessa en tout cas de lui faire des reproches, pour quelque raison que ce soit, et pivota sur ses talons.

– Suis-moi.

Sans rien dire, elles se rendirent près de la porte de l'atelier. Unke dit alors à Merle :

– Arcimboldo est encore en train de travailler. Comme toutes les nuits. Raconte-lui ce que tu as de si important à lui dire.

Puis elle disparut dans l'obscurité et le bruit de ses pas s'étouffa rapidement.

Merle resta seule devant la porte. Elle prit son courage à deux mains et frappa. Qu'allait-elle pouvoir dire à Arcimboldo ? Toute la vérité ? Et s'il la prenait pour une folle et la renvoyait de sa maison ? Mais il y avait pire encore : ne comprendrait-il pas tout de suite quelle menace elle représentait désormais pour l'atelier et ses habitants ?

Malgré tout, elle était intimement convaincue qu'elle avait raison d'en parler à lui plutôt qu'à Unke. La sirène adorait la Reine des eaux. Toute cette histoire serait un blasphème à ses oreilles ; elle soupçonnerait Merle de vouloir simplement faire son intéressante.

Des pas résonnèrent de l'autre côté de la porte, puis le visage d'Arcimboldo apparut dans l'entrebâillement.

– Merle ! Tu es rentrée !

Elle ne s'était pas attendue à ce qu'il remarque son absence. Unke avait dû lui en parler.

– Viens ! (Il lui fit signe d'entrer dans l'atelier.) Nous nous faisions du souci.

C'était un sentiment complètement nouveau. À l'orphelinat, Merle n'avait jamais vu quiconque se faire du souci pour les autres. Si l'un des enfants disparaissait, on le cherchait sans trop d'efforts, généralement en vain. C'était une bouche en moins à nourrir, une place qui se libérait.

Il faisait chaud dans l'atelier. La vapeur d'eau sortait par petits nuages blancs des appareils d'Arcimboldo, reliés entre eux par un réseau de tubes, de tuyaux et de ballons. Le miroitier n'utilisait ces machines que durant la nuit, lorsqu'il était seul. Dans la journée, il travaillait de manière traditionnelle, peut-être pour éviter que ses élèves ne percent tous les secrets de son art. Lui arrivait-il de dormir ? C'était difficile à dire. Aux yeux de Merle, Arcimboldo faisait partie des meubles de l'atelier, au même titre que la porte en chêne et les hautes fenêtres aux vitres poussiéreuses sur lesquelles des générations d'élèves avaient inscrit leurs initiales.

Arcimboldo s'approcha de l'un des appareils, tripota un bouton et se retourna vers elle. Dans son dos, la machine cracha trois petits nuages de vapeur.

– Alors, raconte ! Où étais-tu ?

Sur le chemin du retour, Merle avait beaucoup réfléchi à ce qu'elle allait dire à Arcimboldo. La décision n'était pas facile.

– Je crois que vous n'allez pas comprendre ce que je vais vous raconter.

– Ne t'inquiète pas pour ça. Je veux juste que tu me dises la vérité.

Elle inspira profondément.

– Je suis venue pour vous remercier. Et pour que vous sachiez que je vais bien.

– On dirait que tu veux t'en aller.

– Je vais quitter Venise.

Elle s'était attendue à toutes les réactions possibles à l'annonce de cette nouvelle : qu'il se moque d'elle, qu'il l'insulte, qu'il l'enferme. Mais pas à cette tristesse infinie qui envahit soudain son regard. Sans colère ni méchanceté – juste du regret.

– Que s'est-il passé ?

Elle lui raconta tout. Sa rencontre avec Serafin, la carafe contenant la Reine des eaux, le combat, la capture de Serafin, la maison abandonnée. Elle lui décrivit les robes et les visages des trois traîtres. À chaque portrait qu'elle dressait, il acquiesçait d'un air courroucé, comme s'il avait su exactement de qui il s'agissait. Elle lui parla de la voix qu'elle entendait et, un peu honteuse, du fait qu'elle avait bu le contenu de la carafe.

Lorsqu'elle eut fini son récit, Arcimboldo s'assit sur un escabeau en bois, accablé. Il essuya avec un mouchoir la sueur qui perlait sur son front, se moucha très fort et jeta le mouchoir dans le four. Ils regardèrent tous deux le tissu se consumer dans un silence presque respectueux, comme si c'était autre chose qui brûlait sous leurs yeux : un souvenir, peut-être, ou l'idée de ce qui aurait pu se passer sans les Égyptiens, sans les traîtres, sans le poison magique qui avait chassé la Reine des eaux hors des canaux.

– Tu as raison, finit par dire Arcimboldo. Tu n'es plus en sécurité ici. Ni nulle part à Venise. En étant à l'intérieur de toi, la Reine des eaux va pouvoir quitter la lagune, car tu es née ici et tu es donc une partie d'elle-même.

– Vous en savez beaucoup plus à son sujet que vous ne nous l'avez dit jusqu'à présent, constata-t-elle.

Il sourit tristement.

– Elle a toujours été un aspect important de mon travail. Sans elle, il n'y aura plus de miroirs magiques.

– Mais ça veut dire que…

– Je vais devoir fermer l'atelier, tôt ou tard. C'est ainsi. L'eau de la lagune est une partie de mon art. Sans le souffle que la Reine des eaux dépose dans chacun de mes miroirs, tous mes pouvoirs sont inutiles.

Merle sentit son cœur se serrer.

– Que vont devenir les autres ? Junipa, Boro et… (Elle avait la gorge serrée.) Vont-ils devoir retourner à l'orphelinat ?

Arcimboldo réfléchit brièvement, puis il secoua la tête.

– Non. Mais qui sait ce qui va se passer si les Égyptiens entrent dans la ville ? Personne ne peut le prévoir.

Peut-être y aura-t-il des combats. Dans ce cas, les garçons vont certainement partir au front. (Il se frotta le visage des deux mains.) Comme si tout ça servait à quelque chose.

Merle espérait que la Reine des eaux allait lui souffler une réponse. Quelques mots de consolation, n'importe quoi ! Mais la voix restait muette et elle-même ne savait comment réconforter le miroitier.

– Il faudra que vous continuiez à vous occuper de Junipa, dit-elle. Vous devez me le promettre.

– Bien sûr.

Mais cet acquiescement manquait singulièrement de conviction aux oreilles de Merle.

– Vous croyez qu'elle est en danger ? À cause de ses yeux ?

– Dans tous les pays qui ont été envahis par l'Empire égyptien, ce sont les malades, les blessés et les faibles qui en ont d'abord fait les frais. Le pharaon envoie les hommes et les femmes bien portants travailler dans ses usines. Les autres... Je ne peux pas répondre à ta question, Merle.

– Il est hors de question qu'il arrive quoi que ce soit à Junipa !

Merle se demandait comment elle avait pu envisager de s'en aller sans dire adieu à Junipa. Il fallait qu'elle la voie, le plus vite possible. Peut-être pourrait-elle l'emmener avec elle...

– *Non*, dit la Reine des eaux. *C'est impossible.*

– Pourquoi ? demanda Merle sur un ton de défi.

Arcimboldo leva les yeux, pensant que ces paroles lui étaient adressées. Mais il vit que le regard de Merle était tourné en dedans et comprit à qui elle parlait.

– *La voie que nous allons suivre est déjà suffisamment semée d'embûches pour une seule personne. Le vieil homme a promis de s'occuper de ton amie.*

– Mais je…

– *C'est impossible.*

– Ne me coupe pas la parole !

– *Tu dois me croire. Ici, elle est en sûreté. Tu ne ferais que la mettre en danger inutilement. Vous mettre en danger toutes les deux.*

– Nous deux ? demanda Merle d'un ton persifleur. *Te* mettre en danger, tu veux dire !

– Merle !

Arcimboldo s'était levé et la saisit par les épaules.

– Si c'est vraiment à la Reine des eaux que tu parles, tu ferais bien d'adopter un autre ton.

– Pfff !

Elle fit un pas en arrière. Les larmes lui montaient aux yeux.

– Qu'en savez-vous ? Junipa est mon amie ! Je ne peux pas l'abandonner !

Elle continua à reculer et se frotta les yeux avec colère. Elle ne voulait pas pleurer. Pas ici, pas maintenant.

– Tu ne m'abandonnes pas ! dit une voix ténue dans son dos, tout doucement.

Merle fit volte-face.

– Junipa !

Dans l'obscurité de la porte entrouverte, ses yeux argentés étincelaient comme des étoiles qui seraient descendues du ciel et se seraient perdues sur terre. Junipa entra dans la pièce. La lueur jaune du four éclairait ses traits maigres comme un feu follet. Elle portait encore sa chemise de nuit blanche et avait juste passé par-dessus une cape rouge.

– Je n'arrivais pas à dormir, dit-elle. Je me faisais du souci pour toi. Unke est venue me voir et m'a dit que je te trouverais ici.

« Chère, très chère Unke, pensa Merle avec gratitude. Elle ne le montrera jamais, mais elle sait pertinemment ce qui se passe en chacun de nous. »

Soulagée, elle prit Junipa dans ses bras. Cela lui faisait du bien de voir son amie et d'entendre sa voix. Cela faisait à peine quelques heures qu'elle avait quitté Junipa au cours de la fête, mais elle avait l'impression qu'elles ne s'étaient pas vues depuis des semaines.

Lorsqu'elles relâchèrent leur étreinte, Merle regarda Junipa droit dans les yeux. La vue de ses yeux en miroir ne lui faisait plus rien ; elle avait assisté à des choses bien pires entre-temps.

– J'ai écouté à la porte, avoua Junipa en esquissant un sourire. Unke m'a montré comment faire.

Elle fit un petit geste de la tête vers l'arrière et, en effet, Unke se tenait dans l'ombre du corridor. Elle haussa un sourcil, mais ne dit rien.

Bien qu'elle ne soit guère d'humeur à s'amuser, Merle fut prise d'un fou rire.

– Vous avez tout entendu ? finit-elle par dire en hoquetant. Toutes les deux ?

Junipa acquiesça, tandis qu'Unke réprimait un sourire, sans rien perdre de sa raideur.

– Vous devez penser que je suis devenue folle.

– Non, fit Junipa très sérieusement.

Et Unke murmura à voix basse :

– L'élue est revenue pour faire ses adieux. C'est le début de sa destinée héroïque.

Merle ne se sentait pas une âme d'héroïne et préférait ne pas penser au fait que tout cela ne puisse être qu'un début. Mais au fond d'elle-même, elle savait qu'Unke avait raison. Des adieux, un départ, un voyage. Son voyage.

Junipa saisit sa main et la serra.

– Je vais rester ici avec Arcimboldo et Unke. Va où tu dois aller.

– Junipa, tu te rappelles ce que tu m'avais raconté lors de la première nuit ?

– Que je n'ai toujours été qu'un fardeau pour les autres ?

Merle acquiesça.

– C'est faux ! Et tu ne le serais pas non plus si tu décidais de m'accompagner !

Le sourire de Junipa illumina son visage et fit oublier l'éclat froid de ses yeux.

– Je sais. Depuis la nuit en question, il s'est passé beaucoup de choses. Arcimboldo peut avoir besoin de mon aide, surtout en cas d'affrontement entre les Vénitiens et les Égyptiens. Les garçons seront les premiers à partir se battre.

– Il faut que vous les en empêchiez.

– Tu connais Dario, soupira Arcimboldo. Il aime trop la bagarre, personne ne pourra l'en dissuader.

– Mais la guerre n'a rien d'une bagarre !

– Il ne s'en rend pas compte. Et Boro et Tiziano vont le suivre.

Le miroitier paraissait soudain très vieux, comme si cet aveu de sa propre impuissance lui demandait un effort immense.

– Junipa nous sera d'une aide précieuse. En tous points.

Merle se demanda si Arcimboldo aimait Unke comme un homme peut aimer une femme. Et si Junipa représentait à ses yeux la fille qu'il ne pourrait jamais avoir avec la sirène ?

Qui était-elle donc pour prétendre décider des sentiments des autres ? Elle n'avait jamais eu de famille, elle ne savait pas ce que c'était d'avoir un père et une mère.

Peut-être Junipa aurait-elle la possibilité d'en faire l'expérience, si elle donnait une chance à Arcimboldo et à Unke.

La raison voulait qu'elle parte seule. Seule avec la Reine des eaux. La place de Junipa était ici, dans cette maison, au milieu de ces êtres.

Elle serra une nouvelle fois son amie dans ses bras, puis embrassa Arcimboldo et enfin Unke.

– Faites attention à vous, dit-elle. Nous nous reverrons, un jour ou l'autre.

– Tu sais par où aller ? demanda Junipa.

– Je vais lui indiquer le chemin, dit Unke avant que Merle n'ait le temps de répondre.

Arcimboldo acquiesça en silence.

Merle et la sirène échangèrent un regard. Unke avait les yeux brillants, mais c'était peut-être uniquement par contraste avec l'ombre que le masque jetait sur ses traits.

Une dernière fois, Junipa s'empara des mains de Merle.

– Bonne chance, dit-elle d'une voix chargée d'émotion. Sois prudente.

– La Reine des eaux est avec moi.

Ces mots étaient sortis de sa bouche malgré elle. Elle se demanda si la Reine des eaux voulait ainsi l'aider à consoler Junipa.

– Viens, dit Unke avant de s'éloigner dans le couloir d'un pas rapide.

Au bout de quelques mètres, Merle se retourna et regarda la porte de l'atelier. Junipa était debout à côté d'Arcimboldo. Un instant, Merle eut la curieuse sensation de se voir elle-même aux côtés du miroitier, comme si c'était sur ses épaules qu'il posait le bras. Puis les cheveux s'éclaircirent, la silhouette se fit plus fine et fragile et son image se dissipa pour laisser place à l'adolescente aux yeux de miroir.

Unke la conduisit dans l'arrière-cour. Elle se dirigea tout droit vers la citerne et descendit à l'intérieur.

En s'enfonçant dans le puits, Merle eut l'impression d'être accueillie par quelque chose de vivant. Une vague de chaleur l'envahit, malgré la froideur de la pierre, et elle pensa : « Voilà, tout peut à présent commencer. Vraiment commencer. »

Chapitre 6

À travers les canaux

Des sirènes ! Des armées entières de sirènes !

Leurs queues aux écailles argentées brillaient dans la pénombre verdâtre comme des vers luisants dans une nuit d'été. Deux d'entre elles tenaient Merle par la main et la guidaient à travers les canaux.

Unke était descendue avec elle dans la citerne. Peu à peu, Merle s'était rendue compte que les mouvements doux sur ses jambes ne venaient pas de l'eau. Quelque chose tourbillonnait autour d'elle à toute vitesse, la touchait avec des doigts légers et farouches, plus délicatement qu'une truffe de chien reniflant un étranger, tout en douceur. Ce contact lui donnait le frisson ; elle avait l'impression que quelqu'un était en train de lire dans ses pensées.

Unke prononça quelques mots dans l'étrange langue du peuple marin. Ses paroles mystérieuses résonnèrent entre les parois du puits et descendirent jusqu'aux oreilles des êtres auxquels elles étaient destinées.

Une main livide émergea de l'eau devant Merle et lui tendit une boule de verre veiné. On aurait dit une sorte de casque. Unke l'aida à l'enfiler sur sa tête et à attacher la lanière de cuir sous son cou. Merle n'avait plus peur à présent – pas ici, parmi ces créatures.

– *Je suis avec toi*, dit la Reine des eaux.

Pour elle, cette descente marquait le retour dans son monde, enfermée dans le corps de Merle qui la protégeait du poison des magiciens égyptiens.

Unke resta dans le puits et Merle se mêla à la horde des sirènes qui peuplait les canaux. Où l'emmenaient-elles ? Comment allait-elle pouvoir respirer dans cette boule de verre ? Quel était le secret de cette agréable chaleur dégagée par les sirènes et qui empêchait Merle d'avoir froid, malgré l'eau glaciale ?

Les questions se pressaient dans sa tête et il lui en venait sans cesse de nouvelles. Elle était envahie par le doute.

– *Je peux répondre à certaines de ces questions*, dit la Reine des eaux.

Merle n'osait pas parler, de peur d'épuiser l'air qui se trouvait à l'intérieur du casque en verre.

– *Tu n'as pas besoin de parler pour que je te comprenne*, dit la reine tout au fond d'elle-même. *Je pensais que tu l'avais compris.*

Merle s'efforça de formuler clairement ses questions en pensée.

– Combien de temps vais-je pouvoir respirer sous cette chose ?

– *Aussi longtemps que tu le veux.*

– Est-ce qu'Unke se sert aussi de ce casque quand elle descend la nuit dans le puits ?

– *Oui. Mais ce n'est pas pour elle qu'il a été fabriqué. Il vient d'une époque où le peuple marin possédait encore son savoir traditionnel. À cette époque, l'eau était partout et les océans renfermaient une variété infinie de vies. Il en reste aujourd'hui des traces dans les vestiges des villes englouties, dans les fosses et les failles des fonds sous-marins. Autrefois, il y a des années de cela, des expéditions étaient organisées de temps à autre dans ces villes englouties et on en ramenait des trésors, comme ce casque.*

– Est-ce de la technique ou de la magie ?

– *Qu'est-ce que la magie, au fond, sinon une technique que la plupart des gens ne comprennent pas – qu'ils ne comprennent pas encore ou qu'ils ne comprennent plus ?*

La reine parut s'amuser un moment de ses propres paroles, puis elle redevint sérieuse.

– *Mais tu n'as pas complètement tort. Pour toi, cela relève davantage de la magie que de la technique. Ce qui te semble être du verre est en fait de l'eau durcie.*

– Arcimboldo a dit qu'il utilisait l'eau de la lagune pour fabriquer ses miroirs. Et qu'il ne peut s'en servir que lorsque tu es dans l'eau.

– *C'est un procédé similaire. Vus de l'extérieur, ses miroirs paraissent normaux. Mais en vérité, leur surface est un alliage d'eau durcie. Il y a des milliers d'années, à l'époque des empires subocéaniques, les artisans travaillaient l'eau comme les gens se servent aujourd'hui du bois et du métal. C'était une autre époque, un autre savoir ! Arcimboldo est aujourd'hui un des rares à maîtriser ce savoir – même si ses pouvoirs ne sont que l'ombre des prodiges accomplis autrefois par les Subocéaniens. Arcimboldo a dit la vérité : c'est ma présence qui confère à l'eau de la lagune ces propriétés. Sans moi, elle ne peut plus durcir.*

Merle opina avec une mine songeuse. Toutes les explications de la Reine des eaux allaient dans le même sens. Elle hésita un peu, puis demanda :

– Es-tu toi-même une Subocéanienne ? Viens-tu de cet ancien peuple qui peuplait les mers ?

La reine se tut longuement. Les queues de poisson chatoyantes des sirènes dansaient tout autour de Merle dans l'obscurité.

– *Je suis vieille*, dit-elle enfin. *Infiniment plus vieille que toute vie sous-marine.*

Quelque chose dans le ton de la Reine des eaux sema le trouble dans l'esprit de Merle. Elle ne mentait pas – mais disait-elle toute la vérité ? Merle savait que la reine lisait dans ses pensées et qu'elle connaissait donc ses doutes. Mais, pour une raison quelconque, elle ne s'y attarda pas et changea de sujet :

– *Tu voulais savoir, tout à l'heure, où nous emmènent les sirènes.*

– Hors de la lagune ?

– *Non, elles ne le peuvent pas. Ce serait trop dangereux. Si un éclaireur égyptien découvrait tout un escadron de sirènes sous la surface de l'eau, il les suivrait. Nous ne pouvons pas prendre ce risque. Trop d'habitants des mers sont déjà morts par la faute des hommes ; je ne vais pas exiger qu'elles risquent leur vie pour sauver ceux qui les ont ainsi opprimées.*

Merle observait, fascinée, les corps sveltes qui se pressaient autour d'elle et la guidaient sûrement à travers les canaux souterrains. Les mains des deux sirènes qui la tiraient doucement dégageaient une chaleur réconfortante.

– *Elles nous amènent à la place Saint-Marc*, dit la reine.

– Mais c'est...

– *En plein cœur de la ville, je sais.*

– Ça revient à nous jeter dans les bras de la garde.

– *Pas si je peux l'empêcher.*

– C'est mon corps, ne l'oublie pas ! C'est moi qui vais devoir m'enfuir en courant. Qui vais être torturée. Et tuée.

– *Nous n'avons pas le choix. Il n'y a qu'un seul moyen de quitter la ville. Et pour cela, nous avons besoin de l'aide de quelqu'un.*

– Sur la place Saint-Marc ?

– *C'est la seule solution, Merle. Il n'y a que là que nous pourrons le trouver. Il y est… prisonnier.*

Merle s'étrangla de surprise. Juste à côté de la place Saint-Marc se trouvait l'ancien palais des Doges, l'ancienne résidence des princes vénitiens où s'étaient aujourd'hui installés les conseillers. Les cachots du palais étaient légendaires. Il était impossible de s'évader des cellules situées sous les toits en plomb et de la vaste prison installée de l'autre côté du canal, qui était accessible uniquement par le pont des Soupirs. Ceux qui traversaient ce pont étaient certains de ne plus jamais revoir la lumière du jour.

– Tu comptes vraiment libérer un prisonnier enfermé dans les cachots du palais des Doges pour qu'il nous aide à quitter Venise ? Nous ferions tout aussi bien de nous jeter de la prochaine tour venue.

– *Tu es plus proche de la vérité que tu ne le crois, Merle. La personne qui va nous aider n'est pas dans les cachots, mais dans le campanile.*

– La plus haute tour de la ville !

– *En effet.*

Le campanile se trouvait sur la place Saint-Marc et dominait tout Venise. Merle ne comprenait toujours pas où la reine voulait en venir.

– Mais il n'y a pas de prison à l'intérieur !

– *Ce n'est pas une prison où l'on enferme les criminels de droit commun. Tu te rappelles la légende ?*

– Comment s'appelle ton ami ?

– *Vermithrax. Mais tu le connais mieux sous le nom de…*

– L'Ancien Traître !

– *Lui-même.*

– Mais ce n'est qu'une histoire. Un conte. Vermithrax n'a jamais existé.

– *Je pense qu'il ne sera pas de cet avis.*

Merle ferma les yeux quelques secondes. Il lui fallait rester concentrée, elle n'avait pas le droit à l'erreur. Sa vie en dépendait.

Vermithrax, l'Ancien Traître, cette figure de légendes et de mythes dont le nom était utilisé comme un juron, était un être vivant ? Impossible ! La magie et les sirènes des mers faisaient partie de la réalité, de son quotidien. Mais Vermithrax ? L'idée lui paraissait aussi absurde que si quelqu'un lui avait raconté qu'il venait de déjeuner avec le bon Dieu.

Ou de boire la Reine des eaux.

– Soit, soupira Merle en pensée, tu affirmes donc que l'Ancien Traître est gardé prisonnier dans le campanile de la place Saint-Marc, c'est bien cela ?

– *Je t'en donne ma parole.*

– Nous allons donc nous rendre de ce pas sur place pour le libérer… Et après ?

– *Tu verras bien. Il me doit un service.*

– Vermithrax te doit quelque chose ?

– *Je l'ai aidé, il y a longtemps.*

– Visiblement, ça lui a été bien utile, s'il a passé tout ce temps en prison !

– *Épargne-moi tes moqueries.*

Merle secoua la tête d'un air résigné. Une des sirènes se retourna vers elle pour s'assurer que tout allait bien. Merle lui adressa un petit sourire. La sirène lui rendit son sourire en découvrant sa large gueule de requin, puis regarda à nouveau devant elle.

– S'il est là-bas depuis tant d'années, comment ça se fait que personne ne le sache ?

– *Oh, tout le monde le sait.*

– Mais les gens pensent que c'est une légende !

– *Parce qu'ils préfèrent cette idée. Peut-être que plus d'un conte et d'un mythe se révélerait bien réel si les gens avaient le courage d'aller chercher la boule d'or qui repose au fond du puits ou de traverser la haie d'épines située aux abords du château.*

Merle réfléchit.

– Il est donc vraiment là-haut ?

– *Oui.*

– Comment veux-tu le libérer ? Il est sûrement sous étroite surveillance.

– *Il nous faudra un peu de chance*, répliqua la reine.

Merle s'apprêtait à lui répondre lorsqu'elle sentit que les sirènes remontaient vers la surface. Elle distingua au-dessus de sa tête les quilles des gondoles qui se balançaient doucement sur les vagues, soigneusement alignées. Merle reconnut aussitôt l'endroit. C'était l'embarcadère des gondoles de la place Saint-Marc.

Tout autour des gondoles, l'eau avait une teinte rouge et dorée. « Il fait enfin jour », pensa Merle avec soulagement. Elle se sentit aussitôt un peu plus joyeuse, même si la lumière allait leur compliquer la tâche pour se rendre au campanile.

– *C'est trop tôt*, observa la Reine des eaux d'une voix soucieuse. *Il est trop tôt pour que le soleil se lève.*

– Mais la lumière !

– *On dirait qu'elle vient de l'ouest. Or, le soleil se lève à l'est.*

– Qu'est-ce que c'est, alors ?

La Reine des eaux se tut. Les sirènes restaient quelques mètres en dessous de la surface, indécises.

– *Des flammes*, dit-elle alors. *La place Saint-Marc est en train de brûler !*

Chapitre 7

Le messager de feu

Alors qu'ils se trouvaient à trois mètres du sol, le lion écarta les pattes et le laissa tomber. Serafin courba le dos dans sa chute et se réceptionna sûrement sur les mains et les pieds. Des milliers de fois, il avait sauté de hautes fenêtres, de balustrades et de terrasses. Il ne faisait peut-être plus partie de la guilde des maîtres voleurs, mais il n'avait rien perdu de ses talents.

Avec une vivacité féline, il se releva, légèrement penché en avant, prêt à se battre. Mais deux gardes pointèrent aussitôt leurs armes sur lui, lui ôtant ainsi tout espoir de résister. Serafin souffla, puis s'étira et détendit ses muscles. Il était prisonnier ; il valait mieux ne pas se montrer trop récalcitrant. Il aurait besoin de toutes ses forces quand on le présenterait au geôlier et à ses bourreaux. À quoi bon chercher la bagarre avec quelques gardes ?

Il tendit les bras d'un air soumis pour qu'ils lui passent les fers. Mais les hommes ne firent rien de semblable et se contentèrent de le tenir en joue avec leurs armes. Ce n'était qu'un adolescent. Pas la peine de se donner tant de mal.

Serafin réprima un sourire. Ils ne l'impressionnaient pas. Tant qu'il se trouvait en liberté, hors des geôles et du pont des Soupirs, le dernier chemin des condamnés, il n'avait pas peur. Cette belle assurance lui servait en même temps de bouclier pour éviter de penser à Merle – même s'il n'y parvenait pas complètement.

Il ne fallait surtout pas qu'il lui soit arrivé quelque chose ! Il ne souhaitait qu'une chose : qu'elle soit vivante et en sûreté ! Cette idée ne le quittait pas, il la répétait intérieurement comme un credo.

« Concentre-toi sur ce qui se passe autour de toi ! se dit-il. Et pose-toi des questions : par exemple : pourquoi avons-nous atterri ici, et non dans la cour de la prison ? »

C'était en effet surprenant. Le lion l'avait jeté aux abords de la place Saint-Marc où l'attendaient les deux hommes, bientôt rejoints par deux autres. Tous quatre portaient l'uniforme en cuir noir de la garde. Les vasques de feu qui bordaient la rive, tout près de là, se reflétaient dans leurs rivets.

La place Saint-Marc s'étendait en L au cœur de Venise. Une des extrémités donnait sur l'eau, juste à côté de l'embouchure du Grand Canal ; de l'autre côté, les tours et les toits de l'île de Giudecca se dressaient dans le ciel nocturne.

La place était encadrée de bâtiments somptueux. Le plus imposant était l'église Saint-Marc, un édifice massif orné de coupoles et de tours. Les dorures et les statues avaient été ramenées des siècles plus tôt de tous les pays du monde par des marins vénitiens. Certains l'appelaient la Maison de Dieu, d'autres la Cathédrale aux pirates.

À côté de l'église Saint-Marc s'étendait le palais des Doges où aucun prince ne régnait plus depuis longtemps. C'est là que les conseillers décidaient des affaires de la ville, réunis autour de l'un de leurs fastueux banquets.

Serafin et ses gardiens se trouvaient de l'autre côté de la place, au bout d'une longue arcade, non loin de l'eau. La rangée de colonnes toute proche les protégeait des regards des commerçants qui s'affairaient déjà sur la place, en dépit de l'heure matinale et de l'obscurité, pour y installer leurs maigres étals. C'était un miracle que le commerce n'ait pas totalement disparu après tant d'années de siège.

Un instant, Serafin songea à s'éloigner en courant et à se jeter dans les flots. Mais les gardes étaient d'habiles tireurs. Leurs balles l'atteindraient avant même qu'il n'ait parcouru la moitié du chemin. Il fallait qu'il attende une meilleure occasion.

Entre-temps, il avait compris pourquoi le lion l'avait amené ici et non pas dans la cour de la prison. Ses gardiens étaient au service des trois conseillers qui travaillaient en secret pour l'Empire et avaient trahi Venise. Les autres conseillers ne devaient pas l'apprendre. Un prisonnier amené par un lion volant de la garde aurait sans aucun doute fait sensation. C'était justement ce que les traîtres voulaient éviter et ils préféraient donc le laisser parcourir à pied les derniers mètres. De cette manière, il passerait pour un criminel habituel pris sur le fait – ce serait d'autant plus vraisemblable que certains reconnaîtraient sans doute en lui l'ancien maître voleur de la guilde.

Et s'il criait tout haut la vérité ? S'il racontait ce qu'il avait observé à tous ceux qui croisaient son chemin ou qui se tenaient sur la place ? Cela lui…

Sa tête fut brutalement tirée en arrière. Des mains lui enfoncèrent dans la bouche un bout d'étoffe rugueuse, tirèrent le morceau de tissu sur son menton et son nez et nouèrent les extrémités dans sa nuque. Le bâillon était si serré que cela lui faisait mal et le goût du tissu dans sa bouche était affreusement désagréable.

Voilà pour son plan d'alerter les passants – si l'on pouvait appeler cela un plan.

Les hommes le firent sortir de l'ombre des arcades et le poussèrent sur la place avec le canon de leurs armes. Il y avait dans l'air une odeur curieuse. Peut-être venait-elle des geôles du palais.

Les autres personnes rassemblées sur la place semblaient percevoir elles aussi la puanteur. Quelques commerçants levaient les yeux de leurs étals, regardaient d'un air irrité, reniflaient et faisaient la grimace.

Serafin voulut regarder ses gardiens. Mais à peine tourna-t-il la tête de côté que l'un des soldats lui enfonça sa crosse dans les reins.

– Regarde devant toi !

Les rangées d'étals formaient une allée qui allait de l'eau jusqu'à l'église Saint-Marc. Serafin croisa l'allée au milieu de la place. Il distinguait mieux à présent les quelques hommes et femmes occupés à dresser leurs tréteaux à la lueur des flambeaux et des lanternes au gaz. Le soleil ne se lèverait que dans plus d'une heure, mais les marchands voulaient être prêts pour accueillir les premiers chalands.

Serafin remarqua que les vendeurs étaient de moins en moins nombreux à préparer leurs marchandises. Quelques-uns s'étaient regroupés et gesticulaient en fronçant le nez.

– Du soufre, les entendait-il répéter. Pourquoi du soufre ? Et pourquoi ici ?

Il avait dû se tromper. La puanteur ne venait pas des geôles.

Ils franchirent la deuxième rangée d'étals et s'éloignèrent des commerçants. Une centaine de mètres les séparait encore de l'entrée étroite du palais des Doges. D'autres soldats montaient la garde de part et d'autre de la porte. Parmi eux se trouvait le capitaine de la garde, reconnaissable à l'insigne du lion volant qui ornait son uniforme noir. Le front plissé, il observait Serafin et ses compagnons s'approcher.

Dans le dos de Serafin, les conversations des marchands étaient de plus en plus animées, bruyantes, confuses. Serafin avait l'impression qu'il y avait dans l'air quelque chose qui le démangeait.

Quelqu'un cria. Un cri aigu, pas très fort. À l'entrée du palais, le capitaine de la garde détourna le regard de Serafin pour fixer le centre de la place. L'odeur de soufre était à présent si forte que Serafin en avait la nausée. Du coin de l'œil, il vit que ses gardiens se bouchaient le nez. L'odeur devait être beaucoup plus violente pour eux, le bâillon qu'ils lui avaient tiré sur le nez lui évitait le pire.

L'un des hommes s'arrêta et vomit, aussitôt imité par un autre garde.

– Arrête-toi ! lui ordonna un des soldats.

Serafin hésita un moment, puis se retourna.

Deux des quatre gardes étaient pliés en deux et crachaient des vomissures sur leurs bottes lustrées. Un troisième se tenait la main devant la bouche. Seul le quatrième, celui qui lui avait ordonné de s'arrêter, pointait encore son arme sur lui.

Derrière les gardes, Serafin vit que les attroupements de marchands s'essaimaient. Certains titubaient comme des aveugles et pataugeaient dans les flaques de vomi. Serafin se retourna vers la porte du palais des Doges. Là aussi, les gardes luttaient contre la nausée. Le capitaine était le seul à tenir le rang, la main sur le nez. De temps en temps, il respirait par la bouche et hurlait des ordres auxquels personne n'obéissait.

Serafin remercia en silence ses gardiens de lui avoir mis le bâillon. Il avait mal au cœur, mais le tissu retenait un peu les odeurs.

Tandis qu'il se demandait si c'était là l'occasion qu'il attendait, un grondement retentit. Le sol trembla. Le grondement s'amplifia et se transforma en tonnerre.

Un des étals prit feu au milieu de la place. Les marchands paniqués couraient en rond autour des flammes. Un deuxième étal prit feu, puis un troisième. Les flammes ne tardèrent pas à envahir toute l'allée, même aux endroits où les étals étaient trop écartés pour que le feu se propage de l'un à l'autre. Bien qu'il n'y ait pas de vent pour attiser le feu, les flammes continuaient de s'étendre. L'air semblait figé ; seul un tressaillement imperceptible agitait les poils sur les avant-bras de Serafin.

Le capitaine de la garde scruta la mer houleuse à la recherche de canonnières ennemies ou de catapultes. Mais il n'y avait pas la moindre trace d'agresseurs. Il leva les yeux au ciel et Serafin fit de même. Là encore, aucune barque solaire de l'Empire ne venait troubler l'obscurité.

Les deux rangées d'étals brûlaient maintenant à grandes flammes. Le feu se reflétait en tremblotant sur les façades du palais et de l'église Saint-Marc. Les marchands n'essayaient même pas dans leur panique d'éteindre les flammes qui ravageaient leur bien et partaient se réfugier en hurlant aux abords de la place.

Serafin prit sa respiration – toujours cette odeur de soufre ! –, puis se mit à courir. Il avait déjà fait une dizaine de pas lorsque l'un des gardiens, celui qui avait vomi le premier, remarqua sa disparition. Tout en s'essuyant les lèvres d'une main, il agita frénétiquement son arme en direction de Serafin. Ses camarades levèrent les yeux et virent que le prisonnier leur échappait. L'un dégaina son arme, visa et tira. La balle fusa à l'oreille de Serafin. Mais au moment où il s'apprêtait à tirer une deuxième fois, le soldat fut pris d'un nouvel accès de vomissements. Un autre garde tira, mais la balle n'arriva même pas à hauteur de Serafin. Elle s'écrasa sur le pavé bien avant d'atteindre sa cible et y creusa une encoche, un petit cratère doré éclairé par la lumière vacillante des flammes.

Serafin courait aussi vite qu'il le pouvait. Bien qu'il soit hors d'haleine, il se garda bien de retirer le bâillon. Il se précipita vers l'église Saint-Marc. Arrivé près du porche, il osa enfin se retourner. Personne n'était à ses trousses. Ses gardiens étaient trop mal en point. L'un d'eux s'appuyait sur son arme comme sur une canne. Certains marchands étaient accroupis au sol, à l'écart des flammes, le visage enfoui dans les mains. D'autres avaient cherché refuge derrière les colonnes des arcades et regardaient d'un air consterné les flammes dévorer leurs marchandises.

Le tonnerre retentit à nouveau, si fort que toutes les personnes présentes portèrent les mains aux oreilles. Serafin se mit à l'abri derrière l'un des nombreux bacs de fleurs disposés à l'entrée de l'église. Bien sûr, il aurait été plus raisonnable de fuir et de se cacher dans les ruelles avoisinantes. Mais il ne pouvait pas s'en aller maintenant. Il fallait qu'il reste assister à la scène.

Au début, il crut que les étals s'étaient écroulés sous les flammes et ne comprit pas tout de suite l'étendue de la catastrophe.

Le sol s'était ouvert entre les deux rangées d'étals, au centre de l'allée. La faille faisait cent à cent vingt pas de long. Elle était assez large pour engloutir les boutiques de part et d'autre.

Serafin en eut le souffle coupé. Il était incapable de penser à autre chose, pas même à s'enfuir. Les autres gardes étaient accourus devant l'entrée du palais et s'agitaient comme une troupe d'oies frétillantes. Ils brandissaient leurs armes en tous sens en hurlant, tandis que le capitaine s'efforçait en vain de rétablir l'ordre dans les rangs.

Serafin s'accroupit encore davantage derrière le bac de fleurs de façon à pouvoir tout juste regarder par-dessus le rebord.

Un feu brûlait à l'intérieur de la faille. Les flammes se déplacèrent progressivement des deux extrémités vers le milieu pour y former une boule de feu d'une insupportable clarté.

Une silhouette se dessina à l'intérieur de cette boule embrasée.

La créature flottait dans les airs et portait sur la tête quelque chose qui ressemblait à une auréole de saint. La vision évoquait au premier coup d'œil les tableaux d'église représentant Jésus-Christ après sa mort, lorsqu'il monte aux cieux, les mains croisées dans un geste pieux. Mais Serafin se rendit compte alors que la silhouette avait un visage bouffi de nouveau-né. Ce qu'il avait pris pour une auréole se révéla être une sorte de lame de scie circulaire, avec des dents de la taille d'un pouce ; la lame était plantée dans la nuque de la créature et semblait ne faire qu'un avec sa peau et ses os. Les mains croisées étaient en fait de gigantesques pattes de poulet grises d'aspect écailleux. Son corps épais ne se terminait pas par des jambes, mais par une sorte de queue de reptile longue et pointue, enveloppée dans des bandages détrempés, comme pour tenter de dompter ses battements incontrôlés. Les paupières boursouflées glissèrent comme des limaces et découvrirent des prunelles d'un noir de jais. Les lèvres épaisses s'ouvrirent également et Serafin aperçut une rangée de dents acérées.

– L'Enfer vous salue bien ! dit la créature d'une voix qui ressemblait à celle d'un enfant, mais en plus sonore et perçant.

Ses paroles retentirent dans toute la place.

Les gardes mirent en joue, mais le messager de l'Enfer éclata de rire. Il se trouvait à présent deux mètres au-dessus de la faille. Les flammes continuaient à brûler dans une lumière aveuglante. De minuscules flammèches venaient lécher les bandages qui lui recouvraient le bas du corps, sans que le tissu ne prenne feu pour autant.

– Citoyens de cette ville ! cria le messager avec une telle force que sa voix couvrit même les crépitements. Mes maîtres ont une offre à vous faire.

De la salive verte coula du coin de sa bouche, se répandit dans les plis de son double menton, descendit vers son goitre et coula goutte à goutte. La chaleur des flammes était si grande que les gouttes s'évaporaient dans leur chute.

– Nous sommes vos amis, dit-il en faisant la révérence avec un sourire sournois.

Le monde tremblait.

L'armée de sirènes était restée quelques instants en arrêt, à quelques mètres de la surface de l'eau. Puis un bruit assourdissant avait retenti et une onde de pression les avait soulevées dans un terrible tourbillon, comme si un Dieu en colère tapait du poing dans la mer. Merle vit les gondoles propulsées en tous sens au-dessus de leurs têtes, comme des bateaux en papier. Certaines s'imbriquèrent les unes dans les autres, d'autres explosèrent. Au même moment, Merle fut arrachée par des forces invisibles aux deux sirènes qui la tenaient par la main, aspirée dans les profondeurs, puis projetée vers l'enchevêtrement de débris de gondoles à la surface de l'eau. Les yeux écarquillés, elle vit les quilles coupantes se rapprocher d'elle à toute allure comme d'épaisses lames noires. Elle ouvrit la bouche pour crier…

Le casque sphérique en eau durcie amortit le choc. Une violente secousse traversa le corps de Merle, mais la douleur était supportable. L'eau était démontée, comme si un ouragan faisait rage au-dehors. Tout à coup, des mains de sirène la saisirent par la taille et la firent passer à la vitesse de l'éclair sous les gondoles pour rejoindre les pieux d'un embarcadère situé à quelques mètres de là. La sirène avait le regard tendu. Elle luttait de toutes ses forces contre les courants contraires. Elles finirent par atteindre le ponton et, avant que Merle n'ait le temps de réagir, elle fut catapultée à la surface. La Reine des eaux cria dans sa tête :

– *Tiens-toi bien !*

Merle écarta les bras et s'agrippa à un pieu moussu. Elle glissa un peu le long du poteau, mais réussit à freiner sa chute avec les pieds. Elle remonta alors à toute vitesse vers la surface, s'écroula sur le ponton et vomit de l'eau salée.

Tout autour de l'embarcadère, la surface de l'eau était encore agitée de fortes vagues, mais la tempête semblait se calmer peu à peu. Merle retira le casque. Une main émergea des flots pour lui dire adieu et elle lança la boule dans l'eau. Des doigts fins se refermèrent sur le bord du casque et le tirèrent vers les profondeurs. Merle regarda la colonie de corps clairs s'éloigner sous la surface de l'eau.

– *Je sens quelque chose...*, dit lentement la reine, mais elle se tut aussitôt.

Merle se retourna et regarda la place Saint-Marc entre ses mèches dégoulinantes.

Au début, elle ne vit que le feu.

Puis elle aperçut la créature. Elle la voyait avec une incroyable netteté, comme si chaque détail, aussi atroce soit-il, s'était gravé dans sa cornée en l'espace d'une seconde.

– ... vos amis, l'entendit-elle déclarer.

Elle se redressa et courut vers le quai. Une fois arrivée sur la terre ferme, elle s'arrêta, hésitante. Des gardes se dirigeaient d'un pas peu assuré vers la créature qui flottait dans les airs, hors de portée de leurs mains, mais assez près pour que les balles l'atteignent.

Sans prêter attention aux soldats, le messager de l'Enfer s'adressa aux gens cachés derrière les colonnes des arcades et tout autour de la place.

– Peuple de Venise, l'Enfer vous propose un pacte.

Il laissa ces mots résonner sur la place. L'écho déformait sa voix d'enfant en un piaillement grotesque.

– Vos seigneurs, les conseillers de cette ville, ont refusé notre offre. Mais écoutez plutôt et prenez votre décision !

Il fit à nouveau une pause, interrompue par les ordres que lançait le capitaine de la garde à ses troupes. Un deuxième escadron, puis un troisième arrivèrent en renfort, accompagnés d'une douzaine de cavaliers sur des lions de pierre.

– Vous redoutez la colère de l'Empire du pharaon, poursuivit le messager. À juste titre. Durant plus de trente ans, vous vous êtes battus contre l'Empire. Mais les armées de momies du pharaon sont sur le point de lancer l'assaut final et de vous rayer de la surface du globe. À moins… oui, à moins que vous n'ayez des alliés puissants à vos côtés. Des alliés comme mes maîtres !

Un halètement s'échappa de ses lèvres charnues.

– Nos troupes peuvent tenir tête à celles de l'Empire. Nous pouvons vous protéger. Oui, nous en avons les moyens.

Merle était fascinée par l'apparence répugnante de cette créature de feu. Les gens arrivaient de toutes parts et se rassemblaient autour de la place, attirés par les flammes, le bruit et la perspective d'un spectacle grandiose.

– *Nous n'avons pas de temps à perdre*, intervint la Reine des eaux. *Vas-y, cours jusqu'au campanile !*

– Mais le feu…

– *Si tu vas suffisamment vite, tu ne risques rien. S'il te plaît, Merle… c'est le moment ou jamais !*

Merle se mit à courir. La tour s'élevait au coin de la place. Pour s'y rendre, elle devait longer toute la faille embrasée et passer dans le dos du messager de l'Enfer qui flottait au-dessus des flammes, le visage tourné vers le palais. L'odeur de soufre était suffocante. Le messager continuait à parler, mais Merle ne l'écoutait plus. L'offre du prince de l'Enfer pouvait être séduisante à première vue – mais il suffisait de contempler cette créature abjecte pour comprendre qu'en concluant un tel pacte, les Vénitiens tomberaient de Charybde en Scylla. Certes, ils parviendraient peut-être à vaincre l'Empire et à tenir les Égyptiens à l'écart de la lagune. Mais qui s'installerait dans les palais de la ville à la place des commandants du Sphinx et quels sacrifices réclameraient les nouveaux dirigeants ?

Merle avait déjà fait la moitié du chemin jusqu'au campanile lorsqu'elle remarqua que l'entrée n'était pas surveillée. Les gardiens avaient rejoint les troupes amassées devant le palais. Une centaine d'armes au moins étaient à présent pointées sur le messager et d'autres venaient les rejoindre de minute en minute. Les lions de granit sans ailes grattaient furieusement le sol de leurs griffes et dessinaient des sillons dans le pavé de la place. Leurs cavaliers avaient du mal à les maîtriser.

– Que chaque habitant de cette ville donne une goutte de son sang, cria le messager de l'Enfer à la foule. Une simple goutte, et le pacte sera scellé. Citoyens de Venise, choisissez la voie de la raison ! Combien de sang l'Empire va-t-il faire encore couler ? Combien d'entre vous vont mourir lors des combats pour défendre la lagune et par combien de morts se soldera le règne futur du pharaon ?

Un jeune garçon de sept ans tout au plus échappa à sa mère et courut sur ses petites jambes vers le messager, en passant à côté des soldats.

– La Reine des eaux nous protège ! lança-t-il à la créature. Nous n'avons pas besoin de votre aide !

La mère voulut le rejoindre, terrorisée, mais les autres la retinrent. Elle se démenait pour leur échapper et hurlait sans discontinuer le nom de son enfant.

Le garçon regarda à nouveau le messager avec un air de défi.

– La Reine des eaux ne nous abandonnera pas.

Puis il pivota sur ses talons et repartit vers sa mère, sans que le messager lui fasse quoi que ce soit.

En entendant les paroles de l'enfant, Merle avait éprouvé une déchirure en plein cœur. Il lui fallut un moment pour comprendre qu'il ne s'agissait pas de ses propres sentiments. C'était la douleur de la Reine des eaux qui l'envahissait ainsi, son désespoir, sa honte.

– *Ils comptent sur moi*, dit-elle d'une voix atone. *Ils comptent tous sur moi. Et je les ai déçus.*

– Ils ne savent pas encore ce qui t'est arrivé.

– *Ils ne vont pas tarder à l'apprendre. Au plus tard lorsque les galères du pharaon vont lever l'ancre dans la lagune et que les barques solaires vont se mettre à cracher le feu dans le ciel.*

Elle ajouta, après un court silence :

– *Vous feriez mieux d'accepter l'offre du messager.*

Merle faillit en trébucher d'effroi. Elle n'était plus qu'à vingt mètres de la tour.

– Quoi ? s'exclama-t-elle. Tu es sérieuse ?

– *C'est une possibilité.*

– Mais... c'est un messager de l'Enfer ! Que savons-nous d'eux ?

Et elle s'empressa d'ajouter :

– Il suffit de connaître les recherches du professeur Burbridge pour ne souhaiter qu'une chose, c'est... qu'ils aillent au diable.

– *C'est une possibilité*, répéta la reine.

Sa voix était étrangement mate et inerte. Les paroles du petit garçon semblaient l'avoir profondément touchée.

– Pactiser avec le diable n'est jamais une solution, répliqua Merle en haletant, car sa forme actuelle ne lui permettait pas de courir et de discuter en même temps. Les histoires passées le prouvent. Tous ceux qui s'y sont risqués ont finalement perdu. Tous !

– *Encore une fois, ce ne sont que des histoires, Merle. Sais-tu seulement si quelqu'un a déjà réellement essayé ?*

Merle regarda par-dessus son épaule le messager entouré par les flammes.

– Regarde-le ! Et ne viens pas me dire qu'il ne faut pas se fier aux apparences ! Ce n'est même pas un être humain !

– *Moi non plus.*

Merle atteignit en titubant l'entrée du campanile. Le portail était ouvert.

– Écoute-moi bien, dit-elle hors d'haleine. Je ne voulais pas te vexer. Mais l'Enfer...

Elle s'interrompit et secoua la tête.

– Peut-être n'es-tu pas assez humaine pour comprendre ça.

Sur ces mots, elle entra dans la tour.

Merle n'était passée qu'à quelques mètres de la cachette de Serafin, mais il ne l'avait pas vue. Ses yeux étaient rivés sur le messager. Le messager – et l'armée grandissante de soldats qui se pressait devant lui.

La partie de la place située devant l'église Saint-Marc se remplissait également de monde. Les gens venaient de partout pour voir ce qui se passait. Certains avaient dû entendre qu'un messager de l'Enfer était apparu à la foule, mais ils n'avaient probablement pas cru ce qu'on leur racontait. Jusqu'à ce qu'ils découvrent la vérité.

Serafin luttait contre l'envie de s'en aller en courant. Il avait échappé de peu aux geôles ; à chaque minute qu'il passait ici, il risquait d'être reconnu et arrêté. C'était si stupide de se cacher derrière un bac de fleurs, tandis que la garde était à ses trousses !

Mais pour l'heure, les soldats avaient d'autres préoccupations et Serafin lui-même en oubliait les dangers auxquels il s'exposait. Il voulait voir comment se finirait la scène et entendre ce que le messager avait à dire aux habitants de la ville.

Il remarqua alors trois hommes qui étaient sortis du palais. Trois conseillers dans leurs robes d'apparat.

Pourpre, écarlate et dorée. Les trois traîtres. Le conseiller à la robe dorée se dirigea vers le capitaine de la garde et se mit à lui parler avec animation.

Les flammes grandissaient encore, leurs langues de feu venaient chatouiller le corps du messager et éclairaient le sourire affiché sur son visage bouffi.

– Une goutte de sang ! cria-t-il. Réfléchissez-y, citoyens de Venise ! Une seule goutte de sang !

Merle montait quatre à quatre les escaliers du campanile. Elle était à bout de souffle et avait l'impression que son cœur allait exploser dans sa poitrine. Elle ne se rappelait pas avoir déjà produit des efforts aussi intenses.

– *Que sais-tu de l'Ancien Traître ?* lui demande la Reine des eaux.

– Juste ce que tout le monde sait. L'histoire ancienne.

– *Il n'a jamais été vraiment un traître. Pas comme on le raconte.*

Merle avait du mal à retrouver son souffle pour parler ; même écouter lui était difficile.

– *Je vais te raconter ce qui s'est vraiment passé et comment Vermithrax est devenu l'Ancien Traître*, poursuivit la Reine des eaux. *Mais d'abord, tu dois savoir qui il est.*

– Et... qui... est-il ? haleta Merle en enjambant les marches une à une.

– *Vermithrax est un lion. Un lion de l'ancienne génération.*

– Un... lion ?

– *Un lion capable de voler et de parler.*

La reine s'interrompit brièvement.

– *En tout cas, il en était capable la dernière fois que je l'ai vu.*

Merle s'immobilisa sous le coup de la surprise. Elle avait un atroce point de côté.

– Mais... mais les lions ne parlent pas !

– *Pas ceux que tu connais, en effet. Mais autrefois, il y a longtemps de cela, bien avant la résurrection du pharaon et la guerre des Momies, tous les lions parlaient. Ils volaient plus haut et plus vite que les plus grands pygargues et leurs chants étaient plus beaux que ceux des hommes et du peuple marin.*

– Que leur est-il arrivé ?

Merle se remit à avancer, mais elle ne parvenait plus qu'à se traîner piteusement. Elle était trempée jusqu'aux os et totalement épuisée. Bien qu'elle soit en sueur, tout son corps frissonnait.

– *Les lions de pierre étaient depuis toujours les alliés des Vénitiens. Personne ne se rappelle comment ils sont arrivés ici à l'origine. Sont-ils venus d'un coin reculé du monde ? Ou étaient-ils l'œuvre d'un alchimiste vénitien ? C'est sans importance. Les lions ont combattu aux côtés des Vénitiens dans de nombreuses guerres, ils ont accompagné leurs bateaux sur les routes commerciales dangereuses au large des côtes africaines et ils ont protégé la ville en sacrifiant leur vie. En signe de gratitude, leur visage ornait tous les emblèmes et les drapeaux de la ville et on leur a même donné une île au nord de la lagune.*

– Si les lions étaient aussi forts et puissants, pourquoi n'ont-ils pas construit leur propre ville ?

Merle entendait à peine ses propres mots, tant sa voix était faible.

– *Parce qu'ils faisaient confiance aux citoyens de Venise et se sentaient unis à eux. La confiance a toujours joué un très grand rôle pour eux. Ils ne voulaient pas qu'il en soit autrement. Leur corps était de pierre, ils étaient capables de voler à toute vitesse et leurs chants étaient pleins de poésie, mais on n'a jamais vu un lion construire une maison. Cela faisait très longtemps qu'ils vivaient au milieu des hommes et ils s'y étaient habitués. Ils aimaient avoir un toit au-dessus de la tête et jouir du confort des villes. C'est ce qui a précipité leur chute, je le crains.*

Merle s'arrêta un instant près d'une fenêtre étroite qui donnait sur la place. Elle constata avec effroi que le nombre de soldats et de gardes avait considérablement augmenté en l'espace de quelques minutes. Visiblement, les conseillers avaient rameuté toutes les forces de l'ordre présentes dans la ville, du simple gardien de nuit au capitaine hautement gradé. Ils étaient une centaine. Tous pointaient leur arme, fusil, revolver ou même arme blanche, sur le messager de l'Enfer.

– *Continue à monter ! Allez, dépêche-toi !*

Merle soupira, se retourna et la reine reprit son récit :

– *Cela ne pouvait pas bien finir. Les hommes ne sont pas capables de vivre en paix avec d'autres êtres. Arriva ce qui devait arriver. Tout a commencé par un sentiment de peur diffuse. La peur des lions, de leur force, de leurs ailes puissantes, de leurs crocs, de leurs griffes impressionnantes. Les gens se mirent à oublier ce que les lions avaient fait pour eux, ils oublièrent que c'étaient eux qui avaient permis à Venise d'occuper une position dominante en Méditerranée. De la peur naquit la haine et de la haine la volonté de dompter définitivement les lions – car personne ne voulait et ne pouvait renoncer à eux. Sous prétexte d'organiser une fête en l'honneur des lions, on les réunit sur leur île. On amena en bateau une foule de bœufs et de cochons dépecés. Les abattoirs avaient reçu ordre de donner pour l'occasion tout ce qui se trouvait dans leurs entrepôts. On fit venir les meilleurs vins d'Italie et de l'eau de source claire jaillissant dans les rochers des Alpes. Deux jours et deux nuits durant, les lions festoyèrent sans compter. Mais peu à peu, le somnifère dont les Vénitiens avaient sournoisement enduit la viande et qu'ils avaient mélangé à l'eau et au vin commença à faire son effet. Le troisième jour, il ne restait dans toute la lagune plus aucun lion qui tienne encore sur ses pattes ; tous avaient sombré dans un profond sommeil. On fit alors venir le personnel des abattoirs pour leur couper les ailes !*

– Ils… leur ont coupé…

– *À la hache. Tout simplement. Les lions ne remarquèrent rien en raison du puissant somnifère qu'on leur avait administré. On pansa leurs plaies de manière à ce que la plupart survivent à l'opération, puis on les laissa sur l'île avec la certitude que les lions affaiblis y seraient prisonniers. Les lions ont peur de l'eau, comme tu le sais, et les quelques téméraires qui essayèrent de rejoindre le continent à la nage se noyèrent de peur.*

Merle éprouvait un tel dégoût qu'elle était incapable de continuer à avancer.

– Pourquoi nous donnons-nous autant de mal pour sauver la ville ? Après tout ce que les Vénitiens ont fait aux lions et au peuple marin ! Ils ont bien mérité que la ville soit envahie et rasée par les Égyptiens.

Elle sentit à une curieuse chaleur qui se répandait dans son ventre que ses propos faisaient sourire la reine.

– *Ne sois pas aussi amère, petite Merle. Toi aussi, tu es Vénitienne, comme beaucoup d'autres gens qui ignorent tout de ces histoires. Les crimes commis sur les lions sont très anciens et remontent à plusieurs générations.*

– Et tu crois vraiment que les hommes d'aujourd'hui sont plus intelligents ? demanda Merle d'un ton méprisant.

– *Non. Ils ne le seront jamais. Mais on ne peut exiger de quelqu'un qu'il paie pour un crime dont il n'est pas responsable.*

– Et les sirènes qu'ils accrochent à leurs bateaux ? Tu as dit toi-même qu'elles allaient mourir.

La Reine des eaux resta silencieuse quelques instants.

– *Si vous étiez plus nombreux à savoir, à connaître la vérité... peut-être ces injustices cesseraient-elles.*

– Tu dis que tu n'es pas humaine, et pourtant, tu prends notre défense. D'où te vient cette satanée bonté ?

– *Cette satanée bonté ?* s'amusa la reine. *Il n'y a vraiment que les êtres humains pour employer des expressions pareilles. C'est peut-être une des raisons pour lesquelles je n'ai pas abandonné tout espoir en vous. Mais tu ne veux pas savoir ce qui est arrivé aux lions ? Nous sommes presque au sommet de la tour. Avant de rencontrer Vermithrax, il faut que tu saches le rôle qu'il a joué dans toute cette histoire.*

– Je t'écoute.

– *Les lions ne se remirent que très lentement. Ils se battirent entre eux pour savoir ce qu'ils devaient faire. Une chose était sûre : ils étaient prisonniers sur leur île. Ils étaient faibles, les douleurs causées par leurs ailes amputées menaçaient de les tuer, la situation était désespérée. Les Vénitiens leur proposèrent de continuer à leur apporter à manger s'ils consentaient à devenir leurs esclaves. Après bien des discussions, le peuple lion accepta l'offre. Certains furent amenés sur une autre île où des chercheurs et des alchimistes les utilisèrent pour leurs expériences. On éleva de nouvelles générations de lions de pierre jusqu'à obtenir ce qu'ils sont aujourd'hui – des êtres supérieurs aux autres animaux, mais très éloignés de ce qu'étaient leurs ancêtres. Une race muette et sans ailes.*

– Quel rôle joue Vermithrax dans tout ça ? demanda Merle. Et pourquoi certains lions savent-ils encore voler ?

– *Lorsque les Vénitiens ont commis leur trahison, une petite troupe de lions se trouvait hors de la lagune. Ils avaient été envoyés en Orient pour espionner les autres pays. En apprenant ce qui s'était passé à leur retour, ces lions rugirent de colère. Mais ils n'étaient pas assez nombreux pour livrer aux Vénitiens davantage qu'une petite altercation. Ils décidèrent donc de s'en aller, plutôt que de courir vers une mort annoncée en s'opposant à un ennemi très supérieur en nombre – ils n'étaient plus qu'une douzaine. Ils s'envolèrent pour le sud, traversèrent la Méditerranée et s'enfoncèrent jusqu'au cœur de l'Afrique. Ils vécurent un temps parmi les lions des savanes, puis ils se rendirent compte que ceux-ci toléraient leur présence uniquement parce qu'ils avaient peur d'eux. Ils poursuivirent donc leur route, se réfugièrent dans les montagnes des pays chauds et y restèrent. Le crime commis par les Vénitiens devint une histoire qu'ils se racontaient entre eux, puis un mythe. Il y a environ deux cents ans de cela, un jeune lion du nom de Vermithrax prit au sérieux ces légendes anciennes. Profondément peiné par le destin de son peuple, il décida de revenir sur le lieu du crime pour se venger des citoyens de Venise. Mais rares étaient les lions prêts à se joindre à lui. Les descendants des fugitifs considéraient désormais les montagnes comme leur patrie et n'étaient guère réjouis à l'idée de partir pour des terres inconnues. Vermithrax se mit en route pour Venise accompagné des quelques lions qui avaient accepté de le suivre. Il était fermement convaincu que les lions esclaves se rallieraient à eux pour se venger de leurs bourreaux. Mais Vermithrax commit une grave erreur : il mésestima la force du temps.*

– La force du temps ? demanda Merle, étonnée.

– *Oui, Merle. Le temps avait guéri les blessures des lions et, pis encore, il avait fait d'eux un peuple soumis. Le goût du confort s'était également emparé de la nouvelle race. Les lions étaient satisfaits de leur destin et s'accommodaient d'être au service des Vénitiens. Ils ignoraient ce que cela voulait dire de vivre en liberté ; les pouvoirs de leurs ancêtres étaient oubliés depuis longtemps. Ils n'étaient pas prêts à risquer leur vie pour une rébellion et une cause qui n'étaient pas les leurs. Ils préféraient obéir aux ordres de leurs maîtres humains que se révolter contre eux. L'attaque de Vermithrax contre la ville coûta de nombreuses vies et réduisit en cendres des quartiers entiers. Mais elle était condamnée à l'échec. Son ancien peuple se dressa contre lui. Ce sont des lions qui l'ont maîtrisé, ces mêmes lions qu'il avait voulu libérer et qui étaient devenus désormais les complices des hommes.*

– Mais dans ce cas, ce sont eux, les traîtres, et pas lui !

– *Tout est une question de perspective. Pour les Vénitiens, Vermithrax était un assassin surgi de nulle part pour les attaquer, une créature qui avait tué une foule de gens et tenté de liguer contre eux les lions de pierre. Si l'on voit les choses sous cet angle, ils ont agi de manière tout à fait compréhensible. Ils ont tué la plupart des agresseurs, mais ont laissé la vie à quelques-uns afin que les chercheurs puissent élever une nouvelle génération de lions volants. Plus personne ne se souvenait de l'époque où les lions pouvaient voler et les hommes ont donc jugé séduisante l'idée de posséder des serviteurs lions qui puissent porter de lourds fardeaux dans le ciel ou attaquer l'ennemi depuis les airs, comme l'avait fait Vermithrax lors de son assaut sur la ville. C'est ainsi que virent le jour de nouveaux lions ailés, issus du croisement entre les lions libres d'Afrique et les esclaves soumis de Venise. Tu connais la suite : ces lions volants sont aujourd'hui chevauchés par la garde du Conseil. Tu as eu l'occasion de faire leur connaissance.*

– Et Vermithrax ?

– *Pour Vermithrax, les hommes ont imaginé une peine particulièrement perfide. Au lieu de le tuer, ils l'ont enfermé ici. Il est condamné à vivre à jamais au sommet de la tour. Pour un lion ailé, il n'y a rien de pire que de ne pas pouvoir voler. C'était doublement cruel pour Vermithrax qui avait survolé les vastes steppes d'Afrique durant des années. En outre, sa volonté était brisée – non pas par la défaite, mais par la trahison de ses congénères. Il ne comprenait pas pourquoi ils étaient aussi indifférents à leur sort, pourquoi ils se soumettaient comme des chiens à la volonté des hommes et acceptaient sans sourciller de se liguer à eux pour combattre des représentants de leur race. Cette trahison était pour lui la pire des punitions et il décida donc que le moment était venu de mettre fin à ses jours. Il refusa la nourriture qu'on lui apportait, non par peur qu'elle soit empoisonnée, mais dans l'espoir de mourir rapidement. Vermithrax, le rebelle et le bagarreur, fut ainsi le premier de sa race à constater que les lions de pierre n'ont pas besoin de nourriture. Certes, ils peuvent ressentir de la faim et manger est l'une de leurs activités favorites – mais la nourriture n'est pas indispensable à leur survie. C'est ainsi que Vermithrax vit encore aujourd'hui en haut de cette tour, sous le toit, et passe ses journées à contempler la ville qui l'a fait prisonnier.*

La Reine des eaux fit une courte pause, puis ajouta :

– *Pour être honnête, je ne sais pas dans quel état nous allons le trouver.*

Merle approchait du dernier palier. La lumière qui passait par la fenêtre éclairait une porte imposante en acier aux reflets bleutés.

– Comment as-tu fait la connaissance de Vermithrax ?

– *Lorsqu'il est arrivé ici avec ses compagnons d'Afrique, il y a près de deux cents ans de cela, il s'est dit qu'il devait imiter les hommes en une chose pour être leur égal : surmonter sa peur innée de l'eau, propre à tous les lions. Ses ancêtres avaient été réduits au rang d'esclaves parce qu'ils n'avaient pas osé affronter les eaux de la lagune et étaient restés prisonniers sur leur île. Vermithrax ne voulait surtout pas tomber dans le même piège. Dès qu'il aperçut la lagune, il prit son courage à deux mains et se jeta dans les flots. Mais aussi téméraire qu'il soit, il dut s'avouer vaincu. L'eau et le froid le paralysèrent, et il manqua se noyer.*

– Et tu l'as sauvé ?

– *J'ai lu dans ses pensées, alors qu'il s'enfonçait dans la mer. J'ai vu son audacieux projet et admiré sa force de caractère. Je ne voulais pas qu'un plan comme le sien échoue avant même d'avoir commencé. J'ai donc ameuté les habitants du peuple marin et je leur ai demandé de le ramener à la surface pour le déposer en sûreté sur la rive d'une île déserte. Je suis allée lui parler en personne et nous avons eu de longues conversations tandis qu'il revenait à lui et reprenait des forces. Je ne dirai pas que nous sommes devenus amis – il ne comprenait pas qui j'étais réellement et je crois qu'il avait peur de moi parce que je...*

– Parce que tu es toi-même eau ?

– *Je suis la lagune. Je suis l'eau. Je suis la source du peuple marin. Vermithrax, de son côté, était un battant, un fonceur à la volonté indestructible. Il me respectait et m'était reconnaissant, mais il avait aussi peur de moi.*

La Reine des eaux se tut. Merle venait d'atteindre le dernier palier. Elle était exténuée. La porte en acier de la prison était trois fois plus haute qu'elle et faisait presque quatre pas de large. Elle était fermée à l'extérieur par deux verrous de près de deux mètres.

– Comment allons-nous… ? commença-t-elle.

Mais elle fut interrompue par le tumulte qui s'était déclaré en bas de la tour. Elle courut à la fenêtre grillagée pour regarder ce qui se passait.

De là, elle avait une vue à couper le souffle sur l'avant de la place et sur la faille de feu qui s'était ouverte en son centre. Elle constata que la fente s'arrêtait à quelques mètres seulement de l'eau. Si elle s'était poursuivie jusque dans la mer, Merle et les sirènes auraient été aspirées par le courant et auraient péri dans les flammes.

Mais ce n'était pas tant cela qui figeait le sang dans ses veines que la catastrophe en train de se dérouler sur la place.

Trois lions volants descendaient en piqué du toit du palais des Doges, sous les cris furieux de leurs cavaliers. Le Conseil avait pris sa décision : pas question de négocier avec le prince de l'Enfer, une bonne fois pour toutes.

Avant que le messager ait le temps de réagir, les trois lions arrivèrent à son niveau. Deux passèrent sur sa droite et sur sa gauche, à quelques centimètres seulement de lui. Ils traversèrent les flammes à une vitesse telle que leurs cavaliers ne se brûlèrent pas. Le troisième lion, celui qui se trouvait au centre de la formation, happa le messager en le saisissant par le milieu de son corps bouffi, l'arracha de la faille en feu et l'emporta dans son vol. Le messager glapit et produisit une série de sons insoutenables, incroyablement perçants pour des oreilles humaines. Son corps bandé était à l'horizontale dans la gueule du lion et se tortillait comme un gros asticot. Tous les gens amassés sur la place se tordirent de douleur tant le bruit était atroce. Même les soldats laissèrent tomber leurs armes pour porter les mains aux oreilles.

Sans lâcher le messager, le lion décrivit une large courbe au-dessus des toits. Puis il se dirigea vers les soldats attroupés devant le palais et laissa tomber sur leurs têtes la créature hurlante, comme un morceau de viande pourrie.

– *Merle !* cria la Reine des eaux dans sa tête. *Merle, la porte... !*

Mais Merle ne pouvait détacher le regard de ce spectacle. Les soldats s'écartèrent prestement pour éviter le messager qui s'écrasa au milieu d'eux. Il avait perdu toute dignité et n'était plus qu'une chose monstrueuse et hurlante, fouettant l'air de ses pieds de poule géants, tandis que son corps en forme de gros ver battait le pavé dans des mouvements de panique.

– *Merle... !*

L'espace de quelques secondes, le silence se fit sur la place. Les gens se turent et en oublièrent même de respirer, incapables de comprendre ce qui venait de se produire sous leurs yeux.

Puis un cri de triomphe s'éleva de la foule. La meute avait flairé le sang. Plus personne ne pensait aux conséquences. Près de quatre décennies de vie en réclusion et de peur du monde extérieur éclataient au grand jour.

Des invectives isolées fusèrent du brouhaha et se transformèrent bientôt en un récitatif strident :

– Tuez la bête ! Tuez la bête !

– *Merle ! Nous n'avons pas de temps à perdre !*

– Tuez la bête !

– *S'il te plaît !*

– Tuez la bête !

Le fossé qui s'était dessiné dans la formation des soldats quelques secondes plus tôt se referma ; une vague de corps, de lames étincelantes et de visages tendus s'abattit sur le messager. Des douzaines de bras, de sabres, de crosses et de poings nus se levèrent et frappèrent la créature qui gisait au sol. Les piaillements du messager se muèrent en gémissements, puis cessèrent complètement.

– *La porte, Merle !*

Merle se retourna, encore hébétée, et regarda les deux énormes verrous. Ils étaient tellement grands !

– *Ouvre-les*, implora la reine.

De l'autre côté de la porte en acier, un rugissement retentit.

Chapitre 8

L'Ancien Traître

Il était trop tard pour réfléchir au bien-fondé de ses actes. Merle avait une mission à remplir. Sa décision était prise depuis le moment où elle avait avalé le contenu de la carafe ; peut-être même avant, lorsqu'elle avait quitté avec Serafin la fête aux lampions, en quête d'aventure.

Le verrou inférieur céda avec une facilité déconcertante. Elle avait rassemblé toutes ses forces pour l'ouvrir, mais l'énorme pêne glissa sous son poids comme s'il venait d'être huilé la veille.

Le deuxième verrou se révéla autrement plus coriace. Il dépassait Merle d'une main environ – c'était trop pour qu'elle puisse s'arc-bouter dessus. Elle mit un temps infini à le faire bouger de quelques centimètres. La sueur dégoulinait sur son visage. La Reine des eaux se taisait.

Tout à coup, le verrou glissa vers la gauche. Enfin !

– *Pousse le battant vers l'intérieur*, dit la reine.

Elle paraissait encore inquiète. Les soldats n'allaient pas tarder. Il fallait qu'elles aient libéré Vermithrax avant qu'ils n'arrivent.

Merle n'hésita pas longtemps. Elle appuya des deux mains contre la porte en acier. Le battant s'ouvrit vers l'intérieur avec un grincement métallique.

L'intérieur du campanile était plus grand qu'elle ne s'y attendait. Elle discerna dans l'obscurité un enchevêtrement de poutres qui soutenait le haut toit en pointe. Des pigeons voletaient tout en haut de la pièce. Le plancher était couvert de fientes blanches, comme une fine couche de neige ; les déjections étaient si sèches que de petits nuages de poussière se soulevaient à chacun de ses pas. L'air était confiné et entièrement dominé par l'odeur pénétrante des excréments de pigeons. L'être qui habitait la geôle sous les toits n'avait en revanche pas d'odeur, ou plutôt son odeur ne se distinguait pas de celle des pierres qui l'entouraient.

Il faisait très sombre. Des rais de lumière passaient par la fenêtre à mi-hauteur entre le sol et les poutres les plus basses. Le soleil se levait enfin. Les barreaux, aussi larges que les cuisses de Merle, découpaient la lumière en rondelles.

Les murs étaient eux aussi couverts d'un grillage d'acier, comme si l'on avait craint que le prisonnier ne cherche à les défoncer. Même les poutres les plus hautes de la charpente étaient protégées par des barreaux.

La lumière traversait obliquement la pièce comme un faisceau de cordes brillantes ancrées au centre du plancher. La partie du clocher située de l'autre côté de ce faisceau lumineux était plongée dans l'obscurité la plus totale. Impossible de voir le mur d'en face.

Merle se sentait toute petite et perdue sur le pas de la porte. « Et maintenant ? » se dit-elle.

– *Dis-lui bonjour. Il doit comprendre que nous ne lui voulons pas de mal.*

– Il ne te reconnaîtra pas si tu ne lui parles pas toi-même, répliqua Merle.

– *Oh si, il me reconnaîtra.*

– Heu... bonjour ? dit-elle tout doucement.

Des pigeons virevoltèrent au-dessus de sa tête.

– Vermithrax ?

Elle entendit un cliquetis. Le bruit provenait de l'autre côté du faisceau de lumière. Des ténèbres.

– Vermithrax ? Je suis ici pour...

Elle s'interrompit. Les ombres prirent une forme solide, matérielle. Un frémissement lui parvint, suivi du courant d'air violent causé par des ailes qui se déploient, puis de pas, aussi légers que ceux d'un chat, sans aucune ressemblance avec le pas lourd des autres lions qui raclaient le sol en marchant. Un pas animal, mais réfléchi. En attente.

– La Reine des eaux est avec moi, réussit-elle à articuler.

Vermithrax allait probablement se moquer d'elle.

Une silhouette, plus haute qu'un cheval et deux fois plus large, sortit de l'obscurité et apparut brusquement dans la lumière. Sa tête était inondée par le soleil levant.

– Vermithrax ! s'exclama Merle dans un souffle.

L'Ancien Traître la contempla d'un regard fier. Des griffes surgirent de sa patte avant droite, puis se rétractèrent aussitôt, tel un éclair terrible annonciateur de mort. Chacune de ses pattes était de la taille de la tête de Merle, et ses dents étaient aussi longues que des doigts humains. Sa crinière, bien qu'en pierre, bruissait dans l'air et s'agitait à chacun de ses mouvements comme un pelage soyeux.

– Qui es-tu ?

Il avait une voix grave, avec un léger effet d'écho.

– Merle, répondit-elle d'une voix peu assurée, avant de répéter : Je m'appelle Merle. Je suis une élève d'Arcimboldo.

– Et tu portes en toi la Reine des eaux.
– Oui.
Vermithrax fit un pas majestueux dans sa direction.
– Tu as ouvert la porte. Les soldats attendent-ils dehors pour me tuer ?
– Pour l'instant, ils sont tous sur la place. Mais ils ne vont pas tarder. Nous devons nous dépêcher.
Il s'arrêta de nouveau. Tout son corps se trouvait maintenant dans la lumière.
Merle n'avait encore jamais vu de lion en obsidienne. Il était entièrement noir, du museau jusqu'à la touffe de sa queue. De subtils reflets éclaircissaient ses flancs, son dos mince et sa tête de lion. Les poils de son impressionnante crinière semblaient être constamment en mouvement et ondulaient imperceptiblement, même quand sa tête était immobile. Ses ailes déployées mesuraient près de trois mètres de long et flottaient au-dessus de lui. Il les replia incidemment, sans un bruit. Seul un courant d'air balaya à nouveau la pièce.
– Nous dépêcher, répéta-t-il, perdu dans ses pensées.
Merle sentait l'impatience monter en elle. Lion ou pas lion, elle n'avait pas l'intention de mourir uniquement parce qu'il se demandait s'il pouvait lui faire confiance.
– En effet, nous ferions bien de nous dépêcher, dit-elle fermement.
– *Donne-lui la main.*
– Tu parles sérieusement ?
La reine ne répondit pas. Merle s'approcha à contrecœur du lion en obsidienne. Il ne fit pas un geste. Elle lui tendit la main et il leva la patte avant droite dans un mouvement fluide jusqu'à ce qu'elle touche les doigts de Merle.
Ce contact déclencha une métamorphose en lui. Son regard se fit plus doux.

– Reine, murmura-t-il d'une voix à peine audible en penchant la tête.

– Il sent ta présence ? demanda Merle en pensée.

– *Les lions de pierre sont des êtres sensibles. Il a senti ma présence dès le moment où tu as ouvert la porte. Sinon, tu serais déjà morte depuis longtemps.*

Le lion se remit à parler, en regardant cette fois Merle de ses yeux sombres. Pour la première fois, il la regardait vraiment, *elle*.

– Et tu t'appelles Merle ?

Elle opina.

– C'est un joli nom.

« Nous n'avons pas de temps à perdre en politesses », voulut-elle répondre. Mais elle se contenta d'acquiescer de nouveau.

– Tu crois que tu arriveras à monter sur mon dos ?

Elle s'y était préparée en pensée. Mais le moment venu, l'idée de devoir chevaucher un véritable lion de pierre – qui plus est, un lion capable de parler et de voler – lui ôtait tous ses moyens et elle avait tout à coup les genoux flageolants, aussi fragiles que des bulles de savon.

– Tu n'as pas à avoir peur, dit Vermithrax d'une voix forte. Il suffit de bien t'accrocher.

Elle s'approcha de lui, hésitante. Il se baissa.

– *Allez*, la pressa la Reine des eaux sans ménagement.

Merle poussa un soupir silencieux et monta sur le dos du lion. À sa grande surprise, son corps en obsidienne était chaud et paraissait épouser la forme de ses jambes. Elle se sentait aussi à l'aise que sur une selle.

– Où dois-je m'accrocher ?

– Tiens-toi à ma crinière, dit Vermithrax. Agrippe-toi bien, autant que tu le peux.

– Je ne vais pas te faire mal ?

Il eut un petit rire amer, mais ne répondit pas. Merle s'agrippa à lui. Sa crinière ne ressemblait ni à une vraie fourrure, ni à la pierre. Elle était dure et souple en même temps, comme une plante sous-marine.

– Si nous devons nous battre, dit le lion en jetant un regard décidé en direction de la porte, penche-toi contre mon cou. Quand nous serons au sol, j'essaierai de te protéger avec mes ailes.

– Compris.

Merle essayait de maîtriser les tremblements dans sa voix, mais elle n'y parvenait pas complètement.

Vermithrax se mit en route avec des mouvements félins. En moins de temps qu'il n'en fallait pour le dire, il se faufila par la porte et se retrouva sur le palier supérieur. Il étudia attentivement la largeur de la cage d'escalier, eut un petit geste satisfait de la tête et déplia ses ailes.

– Nous ne pouvons pas descendre par les marches ? demanda Merle, inquiète.

– Tu as dit qu'il fallait se dépêcher.

À peine avait-il prononcé ces mots que Vermithrax s'éleva doucement dans les airs, franchit la rampe – et se laissa tomber à pic dans le vide.

Merle poussa un cri strident. Le courant d'air lui plaqua les paupières et faillit la catapulter vers l'arrière. Mais elle sentit dans son dos une poussée inflexible – c'était le bout de la queue de Vermithrax qui la pressait contre la crinière.

Elle eut l'impression que son estomac se retournait complètement. La descente lui parut interminable... Le sol, au centre de la cage d'escalier, remplissait déjà tout son champ de vision lorsque le lion se remit à l'horizontale d'un coup de rein, balaya le sol et se rua hors du campanile avec un rugissement terrible, comme un éclair noir de pierre, plus grand, plus dur, plus lourd que n'importe quel boulet de canon et mû par une force comparable à celle d'un ouragan.

– Liiiiiibre ! hurla-t-il triomphalement dans l'air du matin, encore empli des vapeurs sulfureuses de l'Enfer. Enfin libre !

Tout se passa alors si vite que Merle eut à peine le temps de saisir les détails et encore moins d'assembler les événements, les images et les sensations en une séquence logique.

Les gens criaient et couraient en tous sens. Des soldats s'agitèrent, les capitaines crièrent des ordres. Un tir retentit, bientôt suivi d'une pluie de balles. Un des projectiles rebondit comme une bille contre le flanc en pierre de Vermithrax ; Merle ne fut heureusement pas touchée.

Le lion d'obsidienne survola la place en rase-mottes, à moins de trois mètres du sol. Les gens s'écartaient sur leur passage en hurlant. Les mères agrippaient leurs enfants qu'elles venaient tout juste de sauver du messager.

Vermithrax poussa un grondement sourd qui ressemblait à un éboulement au fond d'une mine. Merle mit quelque temps à comprendre qu'il s'agissait en fait d'un rire. Il évoluait avec une grâce étonnante, comme s'il n'avait jamais été enfermé en haut du campanile. Ses ailes n'étaient pas raides, mais puissantes et souples ; ses yeux n'étaient pas aveugles, mais aussi perçants que ceux d'un aigle ; ses jambes n'étaient pas engourdies, ses griffes n'étaient pas émoussées, son esprit n'était pas embrumé.

– *Il ne croit plus en son peuple*, expliqua la Reine des eaux à Merle en pensée, *mais il a gardé foi en lui.*

– Tu as dit qu'il voulait mourir.

– *C'est de l'histoire ancienne.*

– Vivre, vivre, vivre ! hurla le lion en obsidienne, comme s'il avait entendu les paroles de la reine.

– Il t'a entendue ?

– *Non*, répondit la reine, *mais il me sent. Peut-être devine-t-il aussi parfois ce que je pense.*

– Ce que *je* pense !

– *Ce que nous pensons.*

Vermithrax survola la faille ouverte par le messager de l'Enfer. Les flammes étaient éteintes, mais un rideau de fumée grise divisait la place. Merle entrevit vaguement des pierres et des éboulis qui remontaient à l'intérieur de la faille et la bouchaient peu à peu. Bientôt, il ne resterait plus de toute la scène qu'une trace sur le pavé.

Les balles sifflaient aux oreilles de Merle, mais bizarrement, elle n'eut jamais peur d'être touchée durant tout le vol. Les choses se passaient beaucoup trop vite.

Elle regarda sur sa gauche et vit les trois traîtres plantés au milieu des gardes, dans la mare de sécrétions visqueuses qui s'écoulaient du cadavre du messager.

Une robe pourpre. Une robe dorée. Et une robe écarlate. Les conseillers avaient eux aussi reconnu l'adolescente assise sur le dos du lion. Et ils savaient que Merle connaissait leur secret.

Elle regarda à nouveau devant elle. Laissant la place derrière eux, ils s'élancèrent au-dessus des flots. Le soleil levant donnait aux vagues des reflets dorés et dessinait sur la mer une route pleine de promesses vers la liberté. À droite, elle eut tout juste le temps de reconnaître les toits et les tours de l'île de Giudecca.

Merle poussa un cri suraigu. Moins de peur que de soulagement, pour donner libre cours à son euphorie. Le vent frais chantait à ses oreilles, elle pouvait enfin respirer librement. Quel délice après les atroces effluves de soufre qui envahissaient la place ! Le vent transperçait sa robe, sa peau, ses os. Il caressait ses cheveux, coulait dans ses yeux, soufflait sous son crâne. Elle fendait les airs à une quinzaine de mètres au-dessus des flots embrasés et se sentait en totale communion avec Vermithrax. Tout, même elle, était baigné d'une lumière rouge et mordorée. Seul le corps en obsidienne de Vermithrax restait noir comme un pan de nuit fuyant la lumière.

– Où allons-nous ?

Merle prêta l'oreille pour écouter la réponse malgré le vacarme du vent ; mais elle ne fut pas sûre d'avoir tout entendu.

– Loin d'ici, cria Vermithrax avec élan. Très loin d'ici !

– *Le siège*, lui rappela la Reine des eaux. *Pensez aux éclaireurs égyptiens et aux barques solaires !*

Merle répéta ces mots à l'attention du lion. Elle se rendit compte alors que Vermithrax était resté si longtemps prisonnier dans le campanile qu'il devait tout ignorer de l'avènement de l'Empire et des guerres destructrices menées par le pharaon.

– C'est la guerre, expliqua-t-elle. Le monde entier est en guerre. Venise est encerclée par l'armée égyptienne.

– Les Égyptiens ? s'étonna Vermithrax.

– L'Empire du pharaon. Il a dressé le siège tout autour de la lagune. Si nous n'avons pas de plan, nous ne réussirons jamais à passer.

Vermithrax rit à gorge déployée.

– Mais je vole, petite fille !

– Les barques solaires de l'Empire aussi, répliqua Merle, les joues rougies.

Une petite fille, elle ? Pfff !

Vermithrax dévia légèrement de son axe et regarda par-dessus son épaule.

– Vas-y, réfléchis à un plan ! Pendant ce temps, je vais leur régler leur compte !

Merle se retourna et aperçut une demi-douzaine de lions volants à leurs trousses, chevauchés par des silhouettes noires vêtues de cuir et d'acier.

– La garde ! Tu peux les semer ?

– Nous allons bien voir.

– Ne fais pas d'imprudences !

Le lion rit une fois de plus.

– Nous allons bien nous entendre tous les deux, courageuse petite Merle.

Elle n'eut pas le temps de se demander s'il se moquait d'elle. Des projectiles sifflèrent à ses oreilles.

– Ils nous tirent dessus !

Les poursuivants étaient à une centaine de mètres. Six lions, six hommes armés envoyés par les traîtres.

– Je ne crains pas les balles, s'écria Vermithrax.

– Tant mieux pour toi ! Mais moi, si.

– Je sais. C'est pourquoi nous allons…

Il s'interrompit et partit d'un grand rire.

– Non, je préfère te faire la surprise.

« Il est fou ! » pensa Merle avec résignation.

– *Un peu, peut-être.*

– Tu me crois fou ? demanda le lion en obsidienne, visiblement amusé.

Pourquoi mentir ?

– Tu es resté trop longtemps enfermé dans cette tour. Et tu ne sais rien de nous, les hommes.

– *Ne m'as-tu pas déjà fait le même reproche ?* s'immisça la Reine des eaux. *Tu as une vision très simpliste des choses !*

Vermithrax fit un crochet soudain sur la gauche pour éviter une nouvelle salve. Merle vacilla sur son dos, mais la touffe de la queue la plaqua contre la crinière.

– S'ils continuent à tirer n'importe comment, ils n'auront bientôt plus de munitions, hurla-t-elle dans le vent.

– *Ils essaient juste de nous faire peur. Ils veulent nous attraper vivants.*

– Pourquoi en es-tu si sûre ?

– *S'ils avaient voulu te tuer, ils l'auraient fait depuis longtemps.*

– Vermithrax le sait-il ?

– *Bien sûr. Ne sous-estime pas son intelligence. Ces manœuvres en vol ne sont qu'un jeu. Il s'amuse. Peut-être veut-il s'assurer qu'il n'a rien perdu de ses facultés au cours de toutes ces années.*

Merle avait l'estomac écartelé, comme si des mains le tiraient de tous les côtés.

– J'ai envie de vomir.

– Ça va passer, répondit Vermithrax.

– Facile à dire.

Le lion regarda derrière eux.

– Les voilà.

Il avait laissé leurs poursuivants s'approcher. Quatre étaient encore derrière eux, deux étaient déjà arrivés à leur niveau. L'un des cavaliers, un capitaine de la garde aux cheveux blancs, regarda Merle dans les yeux. Il chevauchait un lion en quartz.

– Rendez-vous ! lui lança-t-il.

Ils n'étaient plus qu'à une dizaine de mètres.

– Nous sommes armés et plus nombreux que vous. Si vous continuez dans cette direction, vous allez tomber dans les bras des Égyptiens. Nous ne pouvons pas vous laisser faire une chose pareille – et vous ne le voulez pas non plus.

– De quel conseiller dépendez-vous ? demanda Merle.

– Le conseiller Damiani.

– *Ce n'est pas l'un des trois traîtres*, dit la reine.

– Pourquoi êtes-vous à nos trousses ?

– J'ai reçu des ordres. Bon Dieu, te rends-tu compte que tu es assise sur l'Ancien Traître, petite ? Il a mis la moitié de Venise à feu et à sang. Tu ne t'attends tout de même pas à ce que nous te laissions filer ainsi.

Vermithrax tourna la tête vers le capitaine et l'examina de ses yeux en obsidienne noire.

– Si tu renonces et que tu fais demi-tour, je te laisserai la vie sauve, homme.

Il se passa alors quelque chose de curieux. Ce n'est pas la réaction du garde qui étonna Merle, mais celle du lion de pierre. Les paroles de Vermithrax semblèrent l'extraire de la torpeur avec laquelle il obéissait habituellement aux ordres de ses maîtres humains. Le lion regarda fixement Vermithrax, ses battements d'ailes s'accélérèrent. Le capitaine s'en rendit compte lui aussi et tira sur les rênes d'un air irrité. Bien que le vent emportât sa voix de l'autre côté, Merle le vit articuler : « Tout doux ! »

– *Il ne comprend pas pourquoi Vermithrax est capable de parler*, expliqua la Reine des eaux.

– Parle-lui, lança Merle à l'oreille du lion en obsidienne. C'est notre seule chance.

Vermithrax se laissa tomber brutalement d'une dizaine de mètres. Ses pattes n'étaient plus qu'à deux longueurs d'homme de la mer démontée. Plus ils se rapprochaient des vagues, plus Merle prenait conscience de la vitesse à laquelle ils volaient.

– Attention ! hurla Vermithrax. Accroche-toi bien !

Merle se cramponna encore davantage à sa crinière soulevée par le vent. Le lion en obsidienne accéléra d'une série de battements d'ailes rapprochés, puis accomplit un virage à cent quatre-vingts degrés tout en reprenant de l'altitude en direction de ses poursuivants hébétés.

– Lions ! cria-t-il, sa voix tonnant à la surface de l'eau. Écoutez-moi !

Les six lions de la garde hésitèrent. Leurs battements d'ailes ralentirent. Ils paraissaient suspendus en l'air, immobiles ; leurs postérieurs s'affaissèrent et ils se mirent presque à la verticale. Les six gardes furent propulsés en arrière dans des couinements de courroies et de harnachements. Ils ne s'attendaient pas à cette manœuvre, peu habitués à ce que les lions agissent de manière autonome.

Le capitaine ordonna à ses hommes de mettre en joue.

– Visez la fille !

Mais les crânes énormes des lions barraient la vue aux soldats et ils ne pouvaient viser d'une main en se retenant de l'autre à la crinière de leur monture.

– Écoutez-moi ! répéta Vermithrax en regardant successivement les lions.

Lui aussi faisait du surplace, mais ses ailes battaient l'air souplement.

– Je suis revenu autrefois dans cette ville pour vous libérer du joug de vos oppresseurs. Pour que vous viviez en liberté. Pour que vous connaissiez une existence sans contraintes ni ordres, loin de ces combats qui n'ont jamais été les vôtres. Pour que vous voliez aussi haut que vous le souhaitez ! Pour que vous puissiez chasser, vous battre et même parler quand vous le voulez ! Pour que vous meniez la même vie que vos ancêtres !

– *Il utilise votre langue*, dit la Reine des eaux, *car les lions ne comprennent plus leur propre langage.*

– Ils l'écoutent.

– *Reste à savoir combien de temps encore.*

Les six cavaliers hurlaient des ordres désespérés à leurs montures, mais la voix de Vermithrax dominait sans peine leurs cris.

– Vous hésitez parce que vous n'avez encore jamais entendu un lion parler la langue des hommes. Mais ce qui vous fait douter, n'est-ce pas aussi qu'un lion soit prêt à lutter pour sa liberté ? Regardez-moi et posez-vous la question : ne vous reconnaissez-vous pas en moi ?

L'un des lions cracha. Vermithrax tressaillit.

– *Il est triste*, expliqua la reine. *Triste qu'ils ne soient plus que des animaux, alors qu'ils pourraient être comme lui.*

Les autres lions se mirent à cracher eux aussi et le capitaine, qui avait grandi au son des cris de lions et avait passé sa vie à leurs côtés, arbora un sourire de vainqueur.

– Révoltez-vous contre vos maîtres ! hurla Vermithrax, furieux.

La scène était en train de basculer, sans que Merle ne comprenne quelle en était la cause.

– Ne les laissez pas plus longtemps vous donner des ordres ! Jetez vos cavaliers à la mer ou ramenez-les en ville ! Mais laissez-nous partir en paix.

Le lion qui avait craché le premier sortit les griffes d'un air menaçant.

– *C'est sans espoir*, soupira la Reine des eaux. *Il a eu raison d'essayer, mais cela ne sert à rien.*

– Je ne comprends pas, dit Merle, déconcertée. Pourquoi ne l'écoutent-ils pas ?

– *Ils ont peur de lui. Ils ont peur de sa supériorité. Cela fait des années que les lions de Venise ne parlent plus. Ceux-ci ont toujours cru que leurs ailes les rendaient supérieurs aux autres lions. Mais voilà qu'ils découvrent un autre lion encore plus puissant qu'eux. La situation les dépasse.*

Merle sentit la colère monter en elle.

– Dans ce cas, ils ne valent pas mieux que nous, les hommes.

– *Tiens, tiens*, répliqua la reine sur un ton souriant. *Notre jeune tête-en-l'air deviendrait-elle sage ?*

– Moque-toi de moi.

– *Excuse-moi. Je ne voulais pas me moquer.*

Vermithrax lui dit doucement par-dessus l'épaule :

– Nous allons être obligés de fuir. Prépare-toi.

Merle acquiesça. Son regard se posa sur les six gardes. Aucun n'avait encore réussi à mettre en joue. Mais cela ne tarderait pas dès que les lions se seraient remis à l'horizontale – dès qu'ils auraient repris leur vol vers l'avant.

– On y va ! hurla Vermithrax.

Tout se passa alors très vite. Si vite que Merle ne perçut pas sur le moment tout le danger de la situation.

Vermithrax se rua en rugissant vers la formation des six gardes avec des battements d'ailes puissants, glissa sous eux, puis remonta brusquement dans leur dos pour repasser au-dessus d'eux, la tête en bas !

Terrorisée, Merle poussa un cri perçant. Même la reine hurla.

Vermithrax se renversa une nouvelle fois et Merle se retrouva sur le dessus, accrochée à sa crinière, ne comprenant toujours pas bien comment elle avait survécu à ces dernières secondes. Un bref instant, la mer avait remplacé le ciel au-dessus de sa tête. En fait, il n'y avait pas eu de réel danger – Vermithrax allait trop vite et avait trop d'élan pour que Merle puisse lâcher prise. Mais quand même… il aurait au moins pu la prévenir !

Ils reprirent leur course effrénée au-dessus de l'eau, cette fois vers le sud. Les îles y étaient moins nombreuses et moins petites qu'au nord. Cela leur faisait autant de cachettes bienvenues en moins et Merle espérait instamment que Vermithrax avait pris la bonne décision. « Il a un plan », se disait-elle pour tenter de se rassurer.

– *Je ne pense pas*, dit la reine sèchement.
– Ah bon ? s'exclama Merle sans parler tout haut.
– *Non. Il ne connaît pas la région.*
– Comme c'est rassurant.
– *C'est à toi de lui dire ce qu'il doit faire.*
– Moi ?
– *Qui d'autre ?*
– Pour que tu rejettes la responsabilité sur moi si nous arrivons n'importe où !
– *Merle, toute cette affaire dépend de toi, et non de Vermithrax. Ni même de moi. C'est de ton destin qu'il s'agit.*
– Sans que je sache ce que nous allons faire ?
– *Tu le sais déjà. Tout d'abord : quitter Venise. Puis : trouver des alliés pour se battre contre l'Empire.*
– Où ?
– *Ce qui s'est passé sur la place est une première étincelle. Peut-être réussirons-nous à allumer le feu.*
Merle fit la grimace.
– Pourrais-tu t'expliquer un peu plus clairement ?
– *Les princes de l'Enfer, Merle. Ils nous ont proposé leur aide.*
Merle avait l'impression que tout se dérobait à nouveau sous elle, bien que Vermithrax poursuive cette fois son vol tout droit en direction de l'horizon.
– Tu comptes vraiment demander de l'aide à l'Enfer ? demanda-t-elle, abasourdie.
– *Il n'y a pas d'autre solution.*
– Et l'Empire des tsars ? On raconte qu'ils ont également des troupes prêtes à se battre contre le pharaon.
– *L'Empire des tsars bénéficie de la protection de Baba Yaga. Je ne pense pas que ce soit une bonne idée de demander l'aide d'une divinité.*

– Baba Yaga est une sorcière, pas une divinité.

– *Dans son cas, c'est la même chose.*

Avant qu'elles ne puissent approfondir la question, Vermithrax lança l'alarme :

– Attention ! Cette fois, ça risque d'être désagréable !

Merle regarda vivement par-dessus son épaule. Entre les ailes noires de Vermithrax, elle vit un lion qui fondait sur eux, la gueule grande ouverte et les griffes sorties. Ce n'était pas Vermithrax qu'il visait, mais bien elle !

– Ils l'auront voulu, grogna tristement le lion en obsidienne.

Il fit une volte-face qui obligea Merle à se cramponner une fois de plus de toutes ses forces pour rester assise sur son dos. Elle vit leur agresseur écarquiller les yeux, de même que son cavalier – puis Vermithrax plongea sous les pattes de son adversaire, se mit de côté et lui fendit le ventre d'un coup de griffe habile. Lorsque Merle regarda à nouveau autour d'elle, le lion et son cavalier avaient disparu. Sous eux, l'eau de la lagune prenait une teinte rouge.

– Ils saignent !

– *Ce n'est pas parce qu'ils sont de pierre que l'intérieur de leur corps est différent de celui des autres êtres vivants*, dit la reine. *La mort est toujours sale et nauséabonde.*

Merle détourna les yeux de la mousse rouge qui se formait à la surface de l'eau et regarda devant elle. Elle aperçut quelques îles isolées et le continent qui formait une bande foncée à l'horizon.

Deux autres lions arrivèrent bientôt à leur niveau. Vermithrax tua aussitôt l'un d'eux comme il l'avait fait pour sa première victime, sans plus de ménagements. Le second, tirant la leçon de l'inconscience de ses compagnons, évita le coup de patte du lion en obsidienne et tenta de le toucher au flanc. Vermithrax cria au contact de ses griffes, mais évita au dernier moment le coup mortel. Avec un hurlement furieux, il décrivit une courbe dans le ciel et se dirigea tout droit vers son adversaire ahuri, à toute vitesse, sans l'esquiver, sans dévier d'un pouce. À la dernière seconde, il modifia l'axe de son vol et remonta vers le ciel, en touchant au passage le visage de l'autre lion avec ses pattes arrière. On entendit un bruit de pierre brisée et le lion disparut avec son cavalier.

Merle sentait des larmes couler sur ses joues. Elle n'avait pas voulu cette tuerie, mais c'était inévitable. Vermithrax avait demandé aux lions de la garde de les laisser passer. Il ne lui restait plus d'autre solution que de défendre leur vie à tous. Et il le faisait avec toute la force et la détermination de son peuple.

– *Encore trois*, dit la Reine des eaux.

– Est-ce qu'ils vont tous devoir mourir ?

– *Pas s'ils renoncent.*

– Ils ne le feront pas. Tu le sais bien.

L'un des trois lions survivants était chevauché par le capitaine de la garde. Ses cheveux blancs volaient au vent et son visage trahissait une certaine appréhension. Il ne tenait qu'à lui de donner l'ordre de se replier. Mais Merle voyait bien qu'il n'envisageait même pas cette possibilité. « Trouvez-les. Attrapez-les. » Telle était sa mission. « Tuez-les au besoin. » Il n'y avait pour lui aucune alternative.

Tout se passa très vite. Leurs assaillants n'eurent pas l'ombre d'une chance. Le capitaine fut le dernier à lancer l'assaut. Une fois de plus, Vermithrax lui proposa de battre en retraite. Mais le soldat ne fit qu'éperonner encore plus fort son lion. Il arriva sur Vermithrax et Merle à la vitesse de l'éclair. Un instant, Merle crut que le garde allait réussir à les toucher ; mais Vermithrax l'évita d'une manœuvre qui amena une fois de plus Merle dans une position dangereusement oblique. Dans le même temps, il se prépara pour lancer l'attaque finale. Leur adversaire savait ce qui l'attendait, cela se voyait dans ses yeux ; mais la certitude d'avoir perdu ne suffisait pas à lui faire rebrousser chemin. Vermithrax planta ses griffes dans le flanc de l'autre lion en poussant un cri torturé, puis il se retourna à toute vitesse pour ne pas voir le lion et son cavalier tomber dans l'eau.

Un long silence suivit. Même la Reine des eaux ne disait rien, visiblement très émue.

Ils dépassèrent des îles où avaient été édifiées autrefois les forteresses destinées à se défendre contre l'Empire. Aujourd'hui, il n'en restait plus que quelques squelettes de pierre et d'acier. Des canons rouillaient au soleil, saupoudrés du sel apporté par le vent de la Méditerranée. Ici et là, des piquets de tente oubliés se dressaient dans ce paysage sauvage et marécageux ; on les distinguait à peine parmi les roseaux hauts de plusieurs mètres.

Ils survolèrent un endroit où l'eau semblait plus claire, comme si des bancs de sable s'étendaient sous la mer.

– *Une ville engloutie*, dit la reine. *Ses murs ont été arasés par le courant.*

– Je sais, dit Merle. Parfois, on entend ses cloches sonner.

Mais aujourd'hui, même les esprits se taisaient. Merle n'entendait que le vent et le doux bruit des ailes en obsidienne.

Chapitre 9

Les barques solaires

Le soleil levant n'était pas assez fort pour éclairer le canal des Bannis. Sa lumière dorée se déversait sur les étages supérieurs des maisons, mais s'arrêtait abruptement à huit mètres du sol. La partie des murs située sous cette limite restait plongée dans l'obscurité.

Cela n'était pas pour déplaire à la petite silhouette qui courait d'entrée en entrée. Serafin était en fuite et la pénombre lui convenait tout à fait.

Il longea les façades des maisons abandonnées en jetant sans cesse des coups d'œil derrière lui, vers l'embouchure la plus proche. S'il était suivi, c'était par là que ses poursuivants arriveraient. Ou par le ciel, sur un lion ailé. Mais cela ne lui paraissait guère vraisemblable. Après ce qui s'était passé sur la place Saint-Marc, la garde avait probablement plus important à faire – partir aux trousses de Merle, par exemple.

Il l'avait reconnue lorsqu'elle avait surgi de la porte du campanile comme un ouragan, à cheval sur une bête noire. Au début, il n'en avait pas cru ses yeux, mais il avait bien dû se rendre à l'évidence. Il s'agissait de Merle, cela ne faisait pas le moindre doute. Que faisait-elle assise sur ce lion ailé, plus grand que tous ceux que Serafin avait pu voir jusqu'à maintenant ? Tout cela était sûrement lié à la Reine des eaux. Il espérait qu'il n'arriverait rien de grave à Merle. C'est lui qui l'avait embarquée dans toute cette histoire. Pourquoi avait-il été mettre son nez dans des histoires qui ne le concernaient pas ? S'ils n'avaient pas suivi les lions jusqu'à la maison où les traîtres avaient rendez-vous avec le messager… oui, que se serait-il passé alors ? Les galères du pharaon auraient probablement déjà accosté sur le quai des Zattere et le feu destructeur des barques solaires embraserait les canaux, à l'heure qu'il était.

Il avait profité de la panique et du tumulte qui régnaient sur la place pour se faufiler dans l'une des ruelles voisines. La garde ne tarderait pas à découvrir que Serafin, l'ancien maître voleur de la guilde, vivait désormais dans la maison d'Umberto. Au plus tard dans l'après-midi, les soldats débarqueraient dans le canal des Bannis pour venir le chercher.

Mais où aller ? Umberto le mettrait à la porte s'il entendait ce qui s'était passé. Serafin se rappelait ce que Merle lui avait raconté à propos d'Arcimboldo. À la différence d'Umberto, le miroitier semblait être un maître compréhensif – même s'il en voulait sûrement un peu aux apprentis tisserands des nombreux tours qu'ils lui avaient joués. Serafin était prêt à prendre le risque.

Le bateau avec lequel Arcimboldo allait livrer chaque mois les nouveaux miroirs à ses clients était amarré devant la porte de l'atelier de miroiterie. Personne ne savait qui achetait ces miroirs. Mais pourquoi faire tant d'histoires pour quelques miroirs magiques ? Tout paraissait subitement sans importance aux yeux de Serafin.

La porte de la maison était ouverte. Des voix résonnaient à l'intérieur. Serafin hésita. Il ne pouvait pas prendre le risque de croiser Dario ou l'un des autres apprentis. Il fallait qu'il trouve un moyen de rencontrer le miroitier seul.

Il lui vint alors une idée. Il lança un regard inquiet en direction de l'atelier de tissage, sur la rive opposée. Il n'y avait personne à la fenêtre. Parfait. Personne en vue non plus du côté de chez Arcimboldo.

Serafin sortit de l'ombre du porche où il s'était réfugié et se mit à courir jusqu'au bateau. La coque était plate et allongée. À l'arrière, plus d'une douzaine de miroirs étaient suspendus à un châssis en bois. Des couvertures en coton étaient glissées entre les miroirs.

D'autres couvertures étaient posées en tas à la proue du bateau. Serafin en jeta quelques-unes de côté, s'accroupit au milieu du tas et remit les couvertures au-dessus de sa tête. Avec un peu de chance, personne ne le verrait. Il attendrait que le bateau soit en route pour se montrer à Arcimboldo.

Quelques minutes plus tard, des voix résonnèrent à nouveau. Il reconnut la voix de Dario un peu assourdie. Les garçons montèrent un dernier chargement de miroirs sur le bateau, les fixèrent dans les attaches, puis retournèrent sur le quai. Arcimboldo donna quelques instructions, puis le bateau se mit à tanguer plus fort et quitta le quai.

Serafin osa un œil hors de ses couvertures. Le miroitier était debout à l'autre bout du bateau et godillait comme un gondolier, la rame à la main. Le bateau glissait lentement sur le canal. Il tourna, puis poursuivit sa route. De temps en temps, Serafin entendait les cris que se lançaient traditionnellement les gondoliers à l'approche d'un carrefour. Mais la plupart du temps, tout était silencieux. Il régnait dans le dédale des canaux extérieurs un calme mélancolique que l'on ne retrouvait nulle part ailleurs en ville.

Serafin décida d'attendre encore un peu. Il voulait tout d'abord savoir où se rendait Arcimboldo. Le balancement régulier du bateau le berçait, il se sentait si las…

Serafin se redressa en sursaut. Il s'était assoupi. Cela n'avait rien d'étonnant, blotti sous ces couvertures chaudes, après une nuit blanche. C'est le gargouillement de son ventre qui l'avait réveillé.

En glissant un œil entre les couvertures, quelle ne fut pas sa surprise de découvrir qu'ils avaient quitté la ville et avançaient en eau libre. Venise était déjà loin. Ils allaient vers le nord, en direction d'un labyrinthe de minuscules îles marécageuses. Arcimboldo continuait à ramer, debout à l'arrière du bateau, la mine figée, les yeux rivés sur la mer.

C'était le moment ou jamais, personne ne pourrait les voir. D'un autre côté, la curiosité de Serafin allait grandissant. Où Arcimboldo pouvait-il bien livrer ses miroirs ? Plus personne ne vivait ici depuis le début de la guerre, les îles extérieures étaient à l'abandon. Umberto supposait qu'Arcimboldo vendait comme lui sa marchandise à de riches dames de la société. Mais alors, pourquoi le miroitier se rendait-il dans ce coin désolé ? Ils avaient même dépassé l'île aux Lions. On n'entendait que le murmure du vent à la surface de l'eau verdâtre. De temps en temps, un poisson filait sous la surface de l'eau.

Ils continuèrent à avancer ainsi une demi-heure environ lorsque Serafin aperçut soudain devant eux une minuscule île. Le miroitier accosta sur la rive. Serafin crut distinguer au loin des traits minces dans le ciel – les éclaireurs du pharaon, les barques solaires mues par la magie noire des grands prêtres. Mais elles étaient trop loin pour constituer un danger. Aucune barque ne s'aventurait si près du royaume de la Reine des eaux.

L'île faisait environ deux cents mètres de large. Elle était couverte de roseaux et d'arbres broussailleux. Le vent avait impitoyablement rabattu vers le sol la cime des arbres et leurs branches noueuses. Autrefois, ces îles étaient des endroits appréciés des Vénitiens et la noblesse de la ville s'y faisait construire des villas à l'écart de tout. Mais voilà trente ans que plus personne ne venait ici et encore moins n'y habitait. Les îles comme celles-ci ressemblaient à de petits éclats de *no man's land* et leur seul maître était la mer écumante.

Serafin aperçut au bout de la proue du bateau l'embouchure d'un bras de mer qui entrait dans les terres en serpentant. L'étroit couloir était bordé d'arbres en rangs serrés dont les branches touchaient la surface de l'eau. De nombreux oiseaux étaient assis sur leurs branches. Arcimboldo plongea à un moment la rame un peu trop brutalement dans l'eau et des mouettes surgirent du sous-bois pour se réfugier à toute volée en haut des arbres.

Après un dernier virage, le bras de mer débouchait sur un petit lac au cœur de l'île. Serafin aurait bien voulu se pencher en avant pour voir si l'eau était profonde, mais il préférait ne pas prendre de risques. Arcimboldo était plongé dans ses pensées, mais il n'était pas aveugle.

Le miroitier laissa le bateau accoster la rive tout doucement. La coque frotta contre le sable dans un bruit de raclement. Arcimboldo déposa la rame et descendit à terre.

Serafin se releva, juste assez pour regarder par-dessus bord. Le miroitier s'accroupit devant le mur de broussailles. De l'index, il dessina quelque chose dans le sable.

Puis il se releva, se fraya des deux mains un passage dans le fourré et disparut entre les branches.

Serafin repoussa aussitôt les couvertures et descendit du bateau. Il contourna les signes étranges qu'Arcimboldo avait dessinés du doigt dans le sable et plongea dans la pénombre humide du mur de végétation. Il apercevait encore vaguement la silhouette d'Arcimboldo au milieu des branches et des feuilles.

Après avoir fait quelques pas, il découvrit où se rendait le miroitier. Des ruines se dressaient dans une clairière. Sans doute l'ancien château de plaisance d'un gentilhomme vénitien. Il n'en restait plus que des fondations noircies par la suie à la suite de l'incendie qui avait visiblement détruit autrefois le domaine. La végétation avait depuis longtemps déjà reconquis l'endroit : des palmiers aux feuilles larges grimpaient le long des pierres, de l'herbe poussait sur les murs crénelés et un arbre sortait par une fenêtre comme un squelette aux bras tendus en signe d'accueil.

Arcimboldo s'approcha des ruines et disparut à l'intérieur. Serafin hésita, puis sortit de sa cachette et courut se dissimuler derrière un mur. Il se faufila, plié en deux, jusqu'à une fenêtre calcinée et leva prudemment la tête de manière que ses yeux soient juste au niveau du rebord de la fenêtre.

Les ruines abritaient un véritable labyrinthe de décombres qui lui arrivaient environ à la taille. Un nombre étrangement grand de pierres avait été déblayé, beaucoup de murs démolis. Les anciennes briques formaient de petits monticules envahis par les mauvaises herbes. Un simple incendie n'aurait pas suffi à faire de tels dégâts. L'endroit ressemblait plutôt aux vestiges d'une explosion.

Arcimboldo avançait au milieu des ruines en regardant régulièrement autour de lui. Serafin se sentait mal à l'aise à l'idée que d'autres personnes puissent se trouver sur l'île. Que feraient-elles si elles remarquaient sa présence ? Peut-être l'abandonneraient-elles ici, loin de tous. Tous les bateaux naviguaient au centre de la lagune, personne ne passait dans les parages.

Arcimboldo se pencha et écrivit à nouveau quelque chose du doigt sur le sol tout en faisant un tour complet sur lui-même, de manière à dessiner un cercle dans le sable. Puis il se redressa et dit, tourné vers le centre des ruines :

– Talamar.

Serafin n'avait jamais entendu ce mot. C'était peut-être un nom propre.

– Talamar, répéta Arcimboldo. Le vœu est exaucé, la magie a agi, le pacte est conclu.

On aurait dit une formule magique. Serafin en frissonnait d'excitation et de curiosité.

C'est alors qu'il remarqua l'odeur de soufre.

– Talamar !

La puanteur venait des ruines. Plus exactement d'un endroit caché derrière des chicots de murs noirs.

Un sifflement retentit. Serafin continua à avancer en courant le long du mur extérieur jusqu'à ce qu'il trouve une fenêtre d'où il aurait une meilleure vue sur la source de la puanteur.

C'était un trou dans le sol, une sorte de puits. Les bords avaient une forme irrégulière, comme dans un cratère. C'est là qu'avait dû se produire la détonation qui avait détruit tout le château. D'où il était, Serafin ne pouvait estimer la profondeur du trou. Le sifflement était de plus en plus fort. Il se rapprochait.

Arcimboldo s'inclina.

– Talamar, dit-il encore une fois, non plus sur un ton d'incantation, mais de salutation dévote.

Un être maigre aux longues jambes sortit du trou en rampant. Il ressemblait à un être humain, mais ses articulations prenaient des angles impossibles, ce qui lui donnait une allure étrange et maladive. Il se déplaçait à quatre pattes – le ventre tourné vers le haut, comme un enfant qui fait le pont. Son visage était donc à l'envers. La créature était chauve et aveugle. Une couronne de fil barbelé lui bandait les yeux. Un des fils barbelés s'était défait et tombait en travers de son visage sur sa bouche édentée. De grosses cicatrices boursouflées s'étaient formées à l'endroit où les épines de fer touchaient ses lèvres.

– Miroitier, dit d'une voix sifflante l'être répondant au nom de Talamar, puis il répéta les propos d'Arcimboldo : Le vœu est exaucé, la magie a agi, le pacte est conclu. Toujours au service de l'Ombre.

En disant cela, il lança une poche de pièces de monnaie dans le cercle dessiné aux pieds d'Arcimboldo.

– Toujours au service de l'Ombre, répéta le miroitier pour conclure le cérémonial d'accueil. J'amène la marchandise. Treize miroirs fabriqués selon les vœux de ton maître.

– Qui est aussi le tien, miroitier.

Le ton de défiance de la créature était sans équivoque possible, malgré sa prononciation curieuse. Talamar se retourna en exécutant un mouvement complexe de ses membres enchevêtrés pour se retrouver finalement le crâne pendant au-dessus du trou creusé dans le sol. Il poussa une série de cris aigus. Une armée d'êtres noirs, pas plus grands que des bébés singes, surgit aussitôt du puits de soufre. Comme Talamar, ils étaient aveugles et leurs orbites étaient énucléées. Ils s'éloignèrent dans un grouillement et Serafin les entendit bientôt s'affairer autour du bateau.

– Les nouvelles sont mauvaises, dit Arcimboldo, toujours sans sortir du cercle. La Reine des eaux a quitté la lagune. L'eau a perdu son pouvoir. Je ne vais plus pouvoir fabriquer de miroirs jusqu'à son retour.

– Plus de miroirs ? glapit Talamar en agitant ses bras maigres. Que racontes-tu là, vieil homme ?

Arcimboldo conserva son calme et ne montra aucun tressaillement de crainte ou de nervosité.

– Tu m'as bien compris, Talamar. Sans la Reine des eaux dans la lagune, je ne peux pas fabriquer de miroirs magiques. Il me manque le composant essentiel. Cela signifie que je vais devoir cesser mes livraisons.

Il soupira. C'était son premier signe d'émotion en présence de la créature.

– Mais de toute manière, cela n'aura sans doute plus d'importance lorsque l'Empire aura envahi la ville.

– Les Maîtres vous ont proposé leur aide, jappa Talamar. Vous avez tué notre messager et refusé notre secours. À vous maintenant de supporter les conséquences de vos actes.

– Ce ne sont pas les nôtres. La décision est prise par ceux qui détiennent le pouvoir, dit Arcimboldo sur un ton dédaigneux. Ces satanés conseillers.

– Les conseillers ! Ce sont des sornettes ! N'importe quoi !

Talamar se mit à gesticuler comme un fou. Ses gestes lui donnaient une allure encore plus étrange et menaçante. Il était toujours à quatre pattes, la tête à l'envers. Serafin remarqua alors que le cœur de la créature se trouvait dans une petite boîte en verre fixée sur son ventre par une lanière – un muscle noir, noueux et palpitant, comme un tas d'excréments frémissant.

– Sornettes ! Sornettes ! continuait-il à pester. Il nous faut des miroirs, encore plus de miroirs, toujours plus de miroirs ! C'est ainsi que l'entend mon maître.

Arcimboldo plissa le front.

– Dis-lui que j'aime traiter avec lui. Lord Lumière a toujours été un bon client.

Son ton cynique n'échappa pas à Serafin, mais Talamar ne parut pas le remarquer.

– Mais tant que la Reine des eaux sera absente, je ne pourrai pas fabriquer de miroirs. En outre, les Égyptiens vont fermer mon atelier… s'ils ne le démolissent pas de fond en comble.

Talamar était toujours excité au plus haut point.

– Il ne va pas être content. Il ne va pas être content du tout.

– Aurais-tu peur de la colère de ton maître, Talamar ?

– Sornettes, sornettes ! Talamar n'a peur de rien. C'est toi qui devrais avoir peur, miroitier ! Tu ferais bien d'avoir peur de Talamar ! Et de la colère de Lord Lumière !

– Je n'y peux rien. J'ai fait affaire avec vous pour que l'atelier survive. Sans votre or, il y a longtemps que j'aurais été obligé de le fermer. Et que serait-il arrivé aux enfants ? (Le vieil homme secoua la tête tristement.) Je ne pouvais pas laisser faire ça.

– Les enfants, les enfants, les enfants !

Talamar fit un geste réprobateur. Ses lèvres écorchées se tordirent en un sourire. Le fil barbelé qui lui barrait la bouche se tendit et resserra la couronne qui lui bandait les yeux.

– Que me parles-tu des enfants ? Tu as bien fait ce qu'on t'avait dit de faire ?

Arcimboldo acquiesça.

– J'ai pris chez moi les deux adolescentes, comme le souhaitait ton maître.

Il eut un temps d'hésitation. Serafin se dit qu'il envisageait sans doute de raconter la fuite de Merle, mais il préféra finalement garder cette information pour lui.

La tête de Talamar se balançait d'avant en arrière.

– Tu as exaucé tous les vœux du maître ?

– Oui.

– Ce sont les bonnes filles ?

– Tout a été accompli comme le souhaitait Lord Lumière.

– Comment peux-tu le savoir ? Tu ne l'as jamais rencontré.

– Si ce n'était pas le cas, tu me l'aurais dit, n'est-ce pas, Talamar ? (Le visage d'Arcimboldo s'allongea.) Ça te ferait tellement plaisir que je tombe en disgrâce aux yeux de Lord Lumière.

La créature partit d'un rire sonore.

– Tu ne peux plus livrer de miroirs. Le maître va être furieux.

Talamar réfléchit brièvement, puis ses traits se fendirent d'une grimace atroce.

– Pour compenser, nous allons honorer l'autre accord. Plus tôt que prévu.

Arcimboldo avait beau prendre soin de ne montrer aucune faiblesse en présence de Talamar, il ne put cette fois cacher son effroi.

– Non ! C'est trop tôt. Il était prévu…

– Un changement de plan. Qui prend effet immédiatement.

– Ce n'est pas de ton ressort.

Talamar s'approcha d'Arcimboldo. Ses doigts grêles touchaient presque le cercle de signes tracés au sol.

– Ce qui est du ressort de Lord Lumière est aussi du mien ! Tu n'as pas le droit de remettre en question mon autorité, homme ! Tu dois obéir, un point c'est tout.

La voix d'Arcimboldo paraissait tout à coup brisée.

– Vous voulez la fille ?

Talamar gloussa.

– Celle aux yeux de miroir. Elle est à nous. Tu le savais depuis le départ.

– Mais il était question qu'elle reste plusieurs années chez nous !

– La transformation est amorcée. Cela devrait suffire. Lord Lumière s'occupera d'elle en personne.

– Mais…

– Rappelle-toi, vieil homme : toujours au service de l'Ombre ! Tu as prêté serment. Le vœu doit être exaucé, la magie doit agir, le pacte doit être conclu. En ne livrant plus de miroirs, tu brises le pacte. Nous prenons donc la fille. N'oublie pas que, tôt ou tard, elle nous serait revenue.

– Junipa n'est encore qu'une enfant !

– Elle est la fille au miroir. Grâce à toi. Et pour ce qui est de l'autre…

– Merle.

– Elle possède une grande force. Une volonté très forte. Mais elle n'a pas autant de pouvoirs. C'est pourquoi tu vas nous amener la fille au miroir, vieil homme. Ta créature sera bientôt la nôtre.

Les épaules d'Arcimboldo s'affaissèrent. Il avait les yeux rivés au sol. Sa défaite était inéluctable. Serafin avait pitié de lui, malgré tout ce qu'il venait d'entendre.

La colonne d'êtres simiesques revint. Ils portaient trois par trois les miroirs au-dessus de leurs têtes noires ; on aurait dit qu'ils transportaient un bout de ciel bleu à travers l'île. Ils se dirigèrent en rang vers le trou et descendirent dans le puits en empruntant une passerelle en vrille. Les miroirs disparurent bientôt entièrement dans les profondeurs du sol. Arcimboldo et Talamar se retrouvèrent à nouveau seuls près du trou de l'Enfer.

– Toujours au service de l'Ombre, glapit la créature.

– Toujours, chuchota le miroitier, très abattu.

– Je vais t'attendre ici pour accueillir la fille au miroir. Elle est l'élément principal du Grand Plan. Ne nous déçois pas, vieil homme.

Arcimboldo ne répondit pas. Il regarda en silence Talamar se retirer dans le trou avec ses membres démantibulés, comme une araignée humaine. Quelques secondes plus tard, il avait complètement disparu.

Le miroitier ramassa la poche de pièces sur le sol et retourna vers le bateau.

Serafin l'y attendait.

– Tu as tout entendu ?

Arcimboldo était trop faible pour montrer une réelle surprise. Ses mouvements et sa voix étaient accablés, ses yeux indifférents et tristes.

Serafin opina.

– Et… quelle opinion as-tu de moi, à présent ?

– Vous êtes un homme désespéré, miroitier.

– Merle m'a parlé de toi. Tu es un brave garçon. Si tu connaissais toute la vérité, tu me comprendrais peut-être.

– Racontez-la moi.

Arcimboldo hésita, puis monta dans le bateau.

– Je ferais peut-être bien, en effet.

Il passa à côté de Serafin, jeta négligemment les pièces au fond du bateau et s'empara de la rame. Avec des gestes fatigués, il remonta le bras de mer pour rejoindre l'embouchure.

Serafin s'assit entre les cadres où étaient auparavant suspendus les miroirs. Les planches étaient couvertes de petites empreintes de pieds mouillées.

– Allez-vous le faire ? Je veux dire, allez-vous livrer Junipa ?

– C'est la seule solution. Il n'y va pas que de ma vie, dit-il en secouant la tête, consterné. La seule solution, répéta-t-il d'une voix atone.

– Qu'allez-vous dire à Junipa ? La vérité ?

– Qu'elle est élue et l'a toujours été. Comme Merle... mais d'une tout autre manière.

Serafin inspira profondément.

– Vous avez décidément beaucoup de choses à raconter, miroitier.

Arcimboldo soutint son regard quelques secondes, puis tourna les yeux dans le lointain, au-delà de la lagune, au-delà de ce monde.

Une mouette se posa à côté de Serafin sur le bord du bateau et le regarda de ses yeux sombres.

– Il fait frais, dit le miroitier doucement.

Merle finit par se rappeler le miroir dans sa robe. Sans lâcher la crinière, elle le sortit de sa poche. Il avait survécu sans dommages à leur évasion. La surface en eau avait des reflets argentés sous le soleil matinal et clapotait légèrement, mais aucune goutte ne débordait du cadre. Une ombre brumeuse agita brièvement la surface, puis disparut. L'esprit. C'était peut-être un être venu d'un autre monde, d'une autre Venise. À quoi pouvait bien ressembler ce monde ? Ses habitants redoutaient-ils le pharaon autant que les hommes de ce monde-ci ? Les barques solaires y sillonnaient-elles aussi le ciel comme des oiseaux de proie affamés ? Et y avait-il aussi là-bas une Merle, un Serafin et une Reine des eaux ?

– *Peut-être*, fit une voix familière dans sa tête. *Qui sait ?*

– Qui peut le savoir, si tu l'ignores toi-même ?

– *Je ne suis que la lagune.*

– Tu sais tant de choses.

– *Mais je ne sais rien de ce qui se passe hors des limites de ce monde.*

– C'est vrai ?

– *Bien sûr.*

Vermithrax prit alors la parole. Sa voix de stentor dominait sans mal le bourdonnement de ses ailes.

– C'est à elle que tu parles ? À la reine ?

– Oui.

– Que dit-elle ?

– Que tu es le lion le plus courageux qu'elle ait jamais vu.

Vermithrax ronronna comme un gros matou.

– C'est vraiment très gentil de sa part. Mais tu n'as pas besoin de me flatter, Merle. Je te dois ma liberté.

– Tu ne me dois rien du tout, soupira-t-elle, soudainement abattue. Sans toi, je serais peut-être morte.

Elle remit le miroir dans sa robe et referma soigneusement le bouton de sa poche. « Un morceau d'un autre monde, pensa-t-elle avec émotion. Si près de moi. » Peut-être était-ce vrai, ce que Serafin avait dit à propos des reflets dans les canaux.

Pauvre Serafin. Que lui était-il arrivé ?

– Là, devant ! s'écria Vermithrax. Au sud, sur notre gauche !

Ils savaient tous les trois qu'ils devraient, tôt ou tard, faire face aux armées du pharaon. Toutefois, il s'était passé tant de choses depuis leur évasion du campanile que cette perspective était devenue très lointaine et diffuse dans l'esprit de Merle.

Mais le moment était arrivé. Dans quelques minutes, ils allaient survoler l'ennemi. Pour l'heure, ses troupes n'étaient encore qu'une ligne floue à l'horizon. Elle se rapprochait cependant de plus en plus.

– Je vais devoir prendre de l'altitude, expliqua Vermithrax. L'air va être de plus en plus rare. N'aie pas peur si tu as un peu de mal à respirer.

– Je n'ai pas peur.

Merle s'efforçait de parler d'une voix bien assurée.

Les immenses ailes en obsidienne du lion l'emmenèrent de plus en plus haut, jusqu'à ce que la mer ne soit plus qu'une surface unie, sans vagues ni courants.

Merle aperçut au loin les galères du pharaon. Elles n'étaient pas plus grandes que des jouets, mais même à cette distance, on voyait qu'elles disposaient d'une force de destruction suffisante pour anéantir sans peine toute la flotte vénitienne en l'espace de quelques heures. C'étaient ces mêmes bateaux qui avaient autrefois – au début de la grande guerre des Momies – permis aux armées de scarabées d'envahir tous les pays du monde. Ces machines de chitine, voraces et cruelles, pas plus grosses que le pouce, avaient infesté les continents sans que quiconque puisse arrêter leur progression. Elles s'étaient attaquées aux récoltes, puis au bétail et enfin aux hommes. Aux scarabées avaient succédé les armées de momies, des dizaines de milliers de momies sans volonté et insensibles au mal, que les grands prêtres du pharaon avaient tirées de leurs tombes pour les envoyer au combat.

La grande guerre avait duré treize ans, puis était arrivé ce qui devait arriver. L'Empire égyptien avait réduit les peuples de la terre au rang d'esclaves et ses armées avaient envahi toutes les routes du globe.

Merle se pencha sur la crinière du lion comme si cela pouvait la protéger du danger qui les guettait en bas, à la surface de l'eau.

Les coques des galères étaient peintes en or pour rappeler la peau dorée indestructible des dieux du désert égyptiens. Chaque bateau possédait trois mâts et un nombre incalculable de voiles. Deux rangées de longues rames dépassaient de part et d'autre. Un autel était installé à la poupe de chaque bateau ; c'était là que les grands prêtres présentaient les sacrifices dans leurs robes dorées – généralement des animaux, mais aussi parfois des hommes, racontait-on.

De petits bateaux à vapeur naviguaient entre les galères. Ils servaient à faire circuler l'information, assurer le ravitaillement et chasser. Le siège faisait environ cinq cents mètres de large et s'étendait jusqu'à la côte. Il se poursuivait sur la terre ferme par des machines de combat et des armées d'infanterie postées dans toutes les directions, des milliers et des dizaines de milliers de combattants momies sans volonté, n'attendant qu'un signal pour donner l'assaut. Ce n'était plus qu'une question de jours avant que les dirigeants égyptiens ne donnent l'ordre d'attaquer ; sans la Reine des eaux, Venise était incapable de se défendre et courait à sa perte.

Merle ferma les yeux, désespérée. La voix de Vermithrax la tira de ses pensées.

– Est-ce que ce sont les bateaux volants dont tu as parlé ?

Il paraissait à la fois troublé et fasciné.

– Les barques solaires, confirma Merle en regardant par-dessus la crinière flottant au vent, le visage tendu. Tu crois qu'elles nous ont vus ?

– On ne dirait pas.

Une demi-douzaine d'embarcations étroites passèrent devant eux. Vermithrax volait plus haut qu'elles ; avec un peu de chance, ils survoleraient les barques sans que les capitaines remarquent leur présence.

Les barques solaires de l'Empire étaient elles aussi dorées. Comme elles étaient plus près du soleil que les puissants navires de guerre stationnés sur la mer, l'éclat de leur coque était encore plus vif. Elles étaient environ trois fois plus longues que des gondoles vénitiennes. De petites meurtrières horizontales étaient percées sur tout leur pourtour. De l'extérieur, il était impossible de dire combien d'hommes elles abritaient. Merle supposait qu'une barque contenait au plus dix personnes : un capitaine, huit membres d'équipage et le prêtre qui leur permettait de tenir en l'air par magie. Quand il faisait soleil, les fins vaisseaux spatiaux étaient extrêmement rapides et légers à manœuvrer. Lorsque le ciel était couvert, ils se faisaient plus lents et leurs mouvements devenaient plus lourds. La nuit, ils n'étaient pratiquement d'aucune utilité.

Mais ce matin-là, le soleil brillait dans le ciel clair. Les barques scintillantes comme des yeux de fauve se détachaient sur l'eau et les terres perdues au loin.

– Nous allons les survoler d'un instant à l'autre, dit Vermithrax.

La respiration de Merle s'accéléra. Le lion avait raison : à cette hauteur, l'air était plus rare et cela lui faisait mal dans la poitrine. Mais elle ne dit rien, trop heureuse que les pouvoirs de Vermithrax suffisent à la porter au-dessus des forces de combat égyptiennes.

– *Plus que quelques mètres*, dit la Reine des eaux d'une voix tendue.

Les barques solaires étaient à présent juste en dessous d'eux, telles des lames étincelantes décrivant des arcs de cercle dans les airs tout autour de la lagune. Personne à bord ne pouvait imaginer qu'un lion avait pris la fuite. Les capitaines concentraient leur attention sur la ville et non sur ce qui se passait au-dessus d'eux.

Vermithrax redescendit. Merle sentit avec plaisir ses poumons se remplir d'air. Elle continuait à fixer du regard les barques qui disparaissaient peu à peu derrière eux.

– Est-ce qu'on peut nous voir depuis les galères ? demanda-t-elle d'une voix rauque.

Personne ne répondit.

Ils survolèrent les navires de guerre qui faisaient le siège devant la côte.

– *Gagné !* jubila la Reine des eaux.

– C'était couru d'avance, ronronna Vermithrax.

Seule Merle restait silencieuse. Elle ne se manifesta qu'après un long silence :

– Vous n'avez rien remarqué ?

– Que veux-tu dire ? demanda le lion.

– Tout était si calme.

– Nous sommes passés trop haut, dit Vermithrax. Les bruits ne peuvent pas monter si haut.

– *Si, ils le peuvent*, objecta la Reine des eaux sans que Vermithrax ne puisse l'entendre. *Tu as raison, Merle. Tout est complètement silencieux sur les galères. Il y règne un silence de mort.*

– Tu veux dire…

– *Ce sont des momies soldats. Les équipages sont constitués de morts vivants. Comme sur presque toutes les machines de guerre de l'Empire. Les cimetières des pays conquis offrent aux prêtres des réserves inépuisables de combattants. Les seuls êtres vivants à bord sont les grands prêtres et le capitaine.*

Merle sombra dans un profond silence. L'idée de tous ces morts luttant au service du pharaon lui faisait aussi peur que la perspective de ce qui les attendait.

– Où allons-nous ? demanda-t-elle au bout de quelques minutes.

Ils avaient contourné les armées du pharaon et revenaient enfin vers les terres.

– J'aimerais revoir mon pays natal, gronda Vermithrax.

– Non ! dit la Reine des eaux en utilisant pour la première fois la voix de Merle. Nous avons un autre objectif, Vermithrax.

Les battements d'ailes du lion changèrent subitement de rythme.

– Reine ? demanda-t-il, tout hésitant. Est-ce bien vous ?

Merle voulut dire quelque chose, mais à son grand effroi, elle se rendit compte que la volonté de la Reine des eaux avait pris le pas sur la sienne et réprimait ses paroles. Elle comprit alors que son corps ne lui appartiendrait désormais plus complètement.

– C'est bien moi, Vermithrax. Cela fait longtemps.

– C'est le moins qu'on puisse dire, reine.

– Es-tu prêt à m'aider ?

Le lion hésita, puis acquiesça en hochant sa puissante tête en obsidienne.

– Oui.

– Alors, écoute bien ce que j'ai à te dire. Toi aussi, Merle. Mon plan nous concerne tous.

Les lèvres de Merle prononcèrent alors des mots qui lui étaient totalement étrangers : des noms de lieux, des concepts et un mot qui revenait sans cesse.

Lord Lumière.

Elle ne comprenait pas ce que cela voulait dire et elle n'était pas sûre qu'elle voulait le savoir, en cet instant précis. Plus rien ne pouvait la troubler ni l'ébranler. Ils avaient franchi le siège, c'était la seule chose qui comptait. Ils avaient échappé à la plus grande armée que le monde ait jamais connue. Le soulagement de Merle était si grand que toutes les sombres prophéties et les plans de la Reine des eaux rebondissaient sur elle, comme si cela ne la concernait aucunement.

Son cœur battait si vite qu'elle avait l'impression que sa poitrine était sur le point d'exploser. Le sang cognait dans ses oreilles et le vent lui brûlait les yeux. Mais cela n'avait aucune importance. Ils avaient réussi à fuir.

Elle se retourna plusieurs fois pour regarder les galères alignées et les armées de barques solaires qui rapetissaient au loin, avant de disparaître complètement dans l'horizon bleu et gris. Des grains de sable dans un monde trop puissant pour supporter plus longtemps sans rien faire les souffrances que lui infligeaient les Égyptiens.

Il allait se passer quelque chose, Merle le sentait tout à coup. Quelque chose de grand, de fantastique. Elle était subitement persuadée que tout cela n'était qu'un début. Un jeu d'enfant par rapport à ce qui les attendait.

Peu à peu, elle se rendait compte que le destin lui avait attribué un rôle particulier dans toute cette histoire. À elle-même, à la Reine des eaux et peut-être aussi à Vermithrax.

Alors que la reine parlait toujours à travers elle et que ses lèvres bougeaient de manière ininterrompue en articulant des mots étranges, Merle s'accorda le luxe de fermer les yeux. Un peu de repos. Enfin. Elle voulait simplement rester seule avec elle-même quelques instants et était presque surprise d'y parvenir, malgré la présence qui l'habitait.

Ils finirent par atteindre le continent et survolèrent des champs desséchés, des montagnes pelées et des villages dévastés. Tous trois restèrent longuement silencieux.

Lord Lumière. Ce nom résonnait dans la tête de Merle. Elle espérait que le fait de le répéter susciterait une réaction de la voix qui se trouvait en elle, amènerait une explication.

Mais la Reine des eaux se taisait.

Les doigts de Merle s'enfoncèrent davantage dans la crinière du lion. Voilà au moins une chose à laquelle elle pouvait se raccrocher. Cela lui faisait du bien, au milieu de toutes ces sensations inquiétantes.

Elle vit se détacher à l'horizon des sommets montagneux. Autrefois, les terres qui s'étendaient de la mer aux montagnes étaient peuplées d'hommes et débordantes de vie.

Mais plus rien n'y vivait désormais : ni plantes, ni animaux, ni hommes – plus rien.

– *Ils sont tous morts*, dit la Reine des eaux doucement.

Merle eut l'impression de sentir un changement à l'intérieur de Vermithrax. Elle tendit la main et toucha quelque chose de mouillé.

Elle comprit alors que le lion en obsidienne pleurait.

– *Tous morts*, chuchota la reine.

Ils se turent et regardèrent les montagnes au loin.

Table

À PARAÎTRE EN SEPTEMBRE 2005

L'Histoire de Merle
Tome 2
La Lumière de pierre

Impression réalisée sur CAMERON
par BRODARD ET TAUPIN
La Flèche
en avril 2005

Imprimé en France
Dépôt légal : avril 2005
N° d'impression : 29040